Voyage
aux pays des péripatéticiennes

Francis Gallant

Voyage aux pays des péripatéticiennes

Essai romancé

Les Éditions
de
l'*Interdit*

Catalogage avant publication de Bibliothèque et Archives nationales du Québec et Bibliothèque et Archives Canada

Gallant, Francis, 1945-

Voyage aux pays des péripatéticiennes

ISBN 978-2-923972-40-4

I. Titre.

PS8557.A456V69 2013   C843'.6   C2013-941972-1

PS9557.A456V69 2013

Imprimé au Canada

Dépôt légal du 4e trimestre 2013
Bibliothèque et Archives nationales du Québec
Bibliothèque et Archives Canada

© Les Éditions de l'Interdit

Gouvernement du Québec - Programme de crédit d'impôt pour l'Édition de livres - Gestion SODEC

« Ell's sont méprisées du public
Ell's sont bousculées par les flics
Et menacées de la vérole. »

[La complainte des filles de joie (couplet)
Georges Brassens]

Préface

Voyage aux pays des péripatéticiennes se veut un essai romancé visant à réhabiliter – voire à valoriser – dans l'opinion ce qu'il est convenu d'appeler le plus vieux métier du monde. Ce texte est (peut-être) en bonne partie basé sur de nombreuses expériences personnelles de l'auteur, et est (assurément) émaillé de réflexions souvent crues, mais toujours constructives. Chose certaine, c'est que son contenu stimulant ne manquera pas de scandaliser plusieurs bien-pensants et d'arracher les masques de moult hypocrites. Quant aux féministes de tout poil, celles qui visent à la libération véritable de leurs sœurs se sentiront forcément interpellées par ce livre iconoclaste qui, en définitive, représente une admission joyeuse et galante de l'incommensurable pouvoir sexuel de la femme.

Nota : la lectrice et le lecteur comprendront d'entrée de jeu pourquoi le signataire, un essayiste polémiste reconnu et publié à dix reprises, n'a pas perdu de son temps à solliciter une aide financière du Conseil des Arts du Canada ou du Conseil du Statut de la Femme du Québec. Il connaît trop bien les ravages que fait le carcan intellectuel de la rectitude politique sur l'éclosion et l'expression de la pensée vraiment libre pour demander le support de ce genre d'institutions officielles.

Remarque : dans ce livre, les mots péripatéticienne, putain, courtisane et leurs nombreux synonymes, toujours employés au féminin pour fins de simplicité, recouvrent les prostitués de tous les sexes.

Table des matières

La chambre parisienne

La première fois que je me suis retrouvé entre les mains (littéralement) d'une prostituée, c'est à Paris à l'été 1967 – l'année de l'Expo. Avec deux collègues étudiants, j'avais réussi à décrocher un stage de perfectionnement et de découverte dans la Ville Lumière.

Mon meilleur ami Yves et moi-même – les deux fanfarons du trio –, nous nous étions fourré dans la tête que Marcel, le troisième larron, était encore puceau. Le pauvre vieux avait donc besoin de notre aide amicale, nous qui étions infiniment plus riches de vantardises creuses que d'expériences réelles.

Soit dit en passant, quoi de plus utile, pour se valoriser, que de dénicher ou d'imaginer un compagnon moins aguerri devant les vicissitudes de la vie? Et personne ne niera que de se retrouver encore joseph au début de la vingtaine représente tout un écueil dans l'épanouissement intégral d'un honnête homme.

Dans le cas qui nous occupe, on pourrait se demander si c'était notre faire-valoir qui avait besoin d'aide, ou si c'était plutôt Yves et moi qui ressentions le besoin de donner, c'est-à-dire de nous grandir en permettant à quelqu'un d'autre de le faire. Mais à cette époque, nous n'en étions pas à nous poser ce genre de questions. Nous allions offrir à Marcel sa première femme.

Je serais bien embêté aujourd'hui de retrouver la rue, ou même le quartier où nous nous trouvions, mais nous n'eûmes aucune difficulté à dénicher un petit hôtel muni d'un bar que les bonnes gens qualifieraient de louche. J'ai appris depuis que ce genre d'endroits s'appelait un «bar à putes». À ma connaissance, aujourd'hui on n'en trouve nulle part dans les deux Europe, Ouest et Est. Je n'en ai revu qu'en Afrique.

(Je plains de tout mon cœur les jeunes Occidentaux contemporains de ne plus avoir la chance de fréquenter ce type d'établissements.)

Comme le soi-disant néophyte et ses deux généreux copains hésitaient nerveusement devant le vaste choix des consommations possibles, la patronne comprit tout de suite à qui elle avait affaire et elle décida de nous guider. En feignant de se pâmer en oyant notre accent terroir venu de l'autre côté de l'Atlantique, elle nous expliqua avec une pointe de condescendance que certaines boissons étaient très alcoolisées et d'autres moins. Sur le ton de la confidence, elle ajouta qu'à cette heure précoce (nous étions au début de l'après-midi) le choix de filles était fort restreint, mais qu'elle avait quand même quelqu'une pour s'occuper de chacun de nous trois, en soulignant d'une œillade complice un argument présumé de poids pour conclure l'affaire : « Et ainsi, vous ouvrirez la journée. »

Parce que l'heure était au bluff, je relançai le clin d'œil vers Marcel, comme pour lui signifier que j'y avais déjà pensé.

Il nous fallait rester «cool» (même si, à l'époque, ce terme n'existait pas encore en français). En conséquence, nous nous accoudâmes sur le zinc comme des grands et je commandai trois Dubonnet. J'aurais été embarrassé de décrire exactement ce que contenait cet apéritif, mais une sorte de matraquage par effet stroboscopique dans une publicité qui agressait les usagers du métro avait enfoncé à tout jamais ce nom dans ma jeune cervelle.

Avant même que nous ayons eu le temps de nous interroger sur l'étape suivante de l'historique initiation de Marcel, trois femmes relativement belles, la mi-trentaine, s'approchent de nous. Elles se présentent en nous tendant la main (une habitude bien française à laquelle nous ne sommes pas encore habitués), et elles viennent se poster chacune près du client choisi. C'est en laissant choir une paluche assurée sur l'une de nos cuisses que les filles nous indiquent qui montera avec qui.

Cette façon de faire est inédite pour le faux initié que je suis : même si nous sommes les clients, que c'est nous qui payerons pour les services à venir, ce sont les filles, les futures payées, qui décident avec qui chacune se fera 250 francs – réglables en cash et directement aux demoiselles en arrivant à l'étage. (C'est en France que j'ai compris que la règle nord-américaine qui veut que le client ait toujours raison n'est pas universelle, loin s'en faut.)

De toute façon, étant donné que l'énorme poitrine de mademoiselle Corinne (celle qui m'a choisi) – poitrine qui me rappelle celle de Mme Huard, mon institutrice de 3e année primaire – a tout de suite englué mon regard, aucune négociation n'est possible. Je monte donc derrière elle sans prendre la peine de me retourner pour voir ce qu'il advient de mes deux comparses. Et tant pis pour moi si j'ai réalisé en la suivant dans l'escalier qu'elle avait l'arrière-train plutôt plat.

J'avoue humblement qu'il m'a fallu une bonne dizaine d'années d'observations rapprochées pour enfin comprendre que les gros seins et les fesses généreuses, tout comme l'inverse, allaient rarement de pair : nous sommes donc condamnés à choisir.

Depuis ce jour de juin 1967, j'ai dû connaître une bonne centaine de chambres d'hôtel françaises. La plupart d'entre elles ne m'ont laissé aucune impression particulière, mais je me souviendrai toujours de celle-là.

La demoiselle a ouvert une porte non verrouillée et elle m'a précédé dans une grande pièce dont les murs étaient recouverts d'une peinture assombrie par le temps et la fumée de cigarette; le plancher, construit d'un assemblage de larges planches de bois mou, craquait légèrement sous nos pas; par chance, la grande fenêtre à la française donnait sur un micro jardin mal entretenu plutôt que sur la rue. Je dis « par chance », car à l'époque les fenêtres insonorisées n'existaient pas et les rues étroites souvent recouvertes de pavés inégaux résonnaient de la pétarade agressive des Vélosolex et autres scooters de toutes petites cylindrées à deux temps. Quel beau vacarme inutile et asocial!

Une commode massive munie d'un grand miroir biseauté jouxtait un petit lavabo. Jamais auparavant je n'avais vu de chambre équipée d'un lavabo; pour moi, cette pièce de robinetterie devait obligatoirement faire partie intégrante de la salle de bain. Mais la véritable première, ce fut cette espèce de cuvette basse qui trônait entre ledit lavabo et le grand lit double. Parce que j'en avais entendu parler avant de venir en France – sans jamais en avoir vu de mes propres yeux –, je compris tout de suite qu'il s'agissait d'un bidet. Cet objet – devrais-je plutôt dire cet outil? – m'épatait et m'intriguait à la fois : je n'arrivais pas à détacher mon regard du pommeau de douche miniature pointant vers le plafond qui se terrait au fond de la cuvette de porcelaine blanche.

Ayant sans doute lu l'étonnement qui marquait mon visage encore innocent de certaines choses, la putain me lança sur un ton quasi maternel : « Vous n'avez donc pas de bidet au Canada? Je vais te montrer comment ça fonctionne… après. »

Ce mot lança son déshabillage, lequel se fit avec une vélocité que je n'aurais pas cru possible compte tenu de la complexité des accoutrements féminins. Il faut dire que jusque-là, les seuls que j'avais pu observer à mon aise étaient ceux de mes sœurs et de ma mère quand elle faisait sécher les vêtements de la maisonnée sur la corde à linge, les lundis le moindrement ensoleillés.

Mais ma première péripatéticienne n'était pas ma mère : elle devait s'habiller de façon à pouvoir se dévêtir prestement une bonne dizaine de fois par jour. Et Corinne était encore jeune et désirable : ayant plus d'atouts à pavaner qu'à dissimuler, elle pouvait se permettre une garde-robe minimaliste.

J'ai encore les yeux rivés sur ses gros seins blancs aux mamelons roses cerclés d'aréoles brunes lorsqu'elle fait glisser sa petite culotte le long de ses longues jambes gantées de nylon noir : le choc! Une absence fait sauter mon regard vers le bas de son ventre : cette fille n'a pas de chatte! En fait, l'emplacement est bien là, mais le mont de Vénus resplendit de chair très blanche plutôt que d'être assombri d'une touffe de poils. Un «j'espère que tu aimes les femmes fraîchement rasées » m'extirpe de ma stupéfaction. Je sais confusément que les circonstances commandent une réplique affirmative et un brin blasée, mais rien n'arrive à sortir de ma gorge.

Après avoir déposé la somme de francs convenue sur la commode, je me déshabille à mon tour. En retirant ma chemise défraîchie, je peux percevoir une odeur de transpiration et j'ai un peu honte de n'avoir pas pris les précautions qui deviendront plus tard d'usage : vêtements propres et douche *double soap* suivie de quelques jets judicieusement placés d'une eau de toilette atomisée de qualité. Je ne le remarque pas tout de suite, mais la fille de joie a gardé ses bas de nylon et ses souliers à talons très hauts pour m'inviter d'un geste explicite à la rejoindre au lavabo.

Lorsqu'elle saisit fermement mon membre viril pour le soumettre à son œil clinique, il arbore déjà une respectable érection de jeune homme en rut. Elle prend une petite savonnette sur le rebord du lavabo, fait couler le robinet d'eau chaude et se met en frais de laver ma bizoune avec la dextérité d'une infirmière vétérane qui aurait fait les tranchées. S'il n'était pas tout enflé de plaisir anticipé, mon zizi roucoulerait d'aise. En même temps qu'elle la savonne tout en le caressant, la praticienne examine ma bite sous tous les angles, sans doute à l'affût d'un symptôme visible de vérole.

Sortant ensuite un préservatif je ne sais d'où, mademoiselle Corinne me l'enfile sans me demander mon avis et elle descend de ses échasses pour s'installer à quatre pattes sur le lit. Planquant sa tête et ses épaules sur le matelas, la putain me garroche l'ineffable plénitude de son cul de femme mûre en pleine face. Ce cul me dévisage et m'attire vers lui; ce cul veut m'aspirer tout cru. Je n'ai même pas besoin de chercher l'entrée de son huître mystérieuse tapissée de chair à vif : la Française a passé sa main droite entre ses cuisses et elle me saisit fermement le machin pour diriger ses élans vers sa petite grotte, une grotte accueillante aux parois à la texture troublante de plaie ouverte et où tous les hommes dignes de ce nom sont voués à se perdre un jour ou l'autre.

C'est dans le condom de latex que l'intégralité de mon sperme se perd après une douzaine de coups de boutoir mesurés, voire polis.

La chose faite, Corinne quitte l'alcôve d'un trop court moment et elle s'installe à califourchon sur le bidet. Quand elle ouvre grand les deux robinets, je comprends enfin à quoi sert la petite douche verticale. De légers effluves d'urine me font comprendre une autre chose encore plus singulière : la pute se soulage en même temps qu'elle se lave. D'ailleurs, cette opération est ponctuée d'un sourire lascif qui raconte que certains messieurs pervers ne dédaignent pas que des filles comme elle leur pissent dessus.

Son sourire précise que ces choses-là, ce n'est pas pour les jeunes gens novices des pratiques coquines. Plus tard, peut-être…

Pendant l'opération, je ne peux empêcher mon esprit d'écrire *Apis lacris* – une expression qu'aucun Québécois qui a étudié un tant soit peu le latin ne peut oublier – en toutes lettres mentales et rayonnantes sur le mur délavé de la chambrette, juste au-dessus de la pisseuse. [Cette expression latine à la résonance savoureuse se traduit par «larmes d'abeilles.»]

Quand Corinne se relève sans remettre ses chaussures à talons aiguilles, elle me semble avoir perdu un bon trois pouces. Elle est toujours désirable, mais je suis un peu surpris de sa courte taille. À partir de ce moment, je n'ai jamais cessé de m'interroger sur ce besoin quasi universel qu'ont les femmes de se grandir physiquement en grimpant sur des talons hauts. Je veux bien que ce type de chaussures allongent le galbe des jambes en étirant les chevilles et les mollets, rapetissent les pieds et remontent sensiblement le popotin (trois illusions, en fait), mais quand même…

La travailleuse du sexe s'est rhabillée encore plus rapidement qu'elle ne s'était dévêtue. Je n'ai pas pu m'empêcher de lui marmonner un «Marci ben!» en quittant la chambre; en retour, elle m'a signifié un «De rien!» d'un hochement de tête machinal.

Cette chambre anonyme de petit bordel sans le nom, elle flotte sur la masse toujours mouvante de mes souvenirs comme ayant été le premier des lieux privilégiés où une femme ne m'ait jamais soulagé d'un trop plein de semence. Mademoiselle Corinne l'a fait avec gentillesse et compréhension, sans essayer de me faire sentir que j'avais un problème, que j'étais un taré parce qu'incapable de me faufiler dans la couche d'une fille par le seul pouvoir de mon charme.

Cette courtisane parisienne m'a guéri – hélas seulement momentanément – d'un mal qui me torturait depuis plusieurs jours, d'une envie de faire l'amour qui, allant grandissant, se transformait inexorablement en obsession. Et son travail singulier, cette femme l'a fait en véritable professionnelle. Je m'explique.

Il aurait été facile, pour elle, de profiter de mon manque flagrant d'expérience pour m'humilier un tantinet, de profiter de sa position dominante pour me rabaisser. Je dis «dominante» en pesant mes mots : dans le rapport client-pute, c'est cette dernière qui mène le jeu, toutes les étapes du jeu. Une fois qu'il a payé – dans la plupart des situations, il faut payer comptant et à l'avance –, le client ne peut qu'espérer que la dispensatrice de services sexuels tiendra honnêtement sa part du marché.

Certains diront qu'il n'y a rien de plus simple : faire jouir le gars. Certes, mais encore? À moins de croire que l'aboutissement génital peut être déclenché par des gestes simples comme une gratouille derrière l'oreille gauche ou une caresse minimale de la verge, le comment est toujours complexe. Le comment, oui, mais également l'avant-comment et l'après-comment.

La prostituée Corinne n'a pas jugé son jeune client. Elle aurait pu le condamner du regard lorsqu'il s'est déshabillé. Elle aurait pu lui lancer une phrase méchante ou moqueuse genre « Regardez-moi ce tout petit oiseau! Est-ce qu'il sait chanter, au moins? » Ou encore « Bandaison respectable. Je parie que ce jeunot ne peut pas la retenir plus d'une minute. » Une autre chose essentielle : elle a su garder juste assez de distance pour m'empêcher de tomber amoureux d'elle, tout en se montrant assez familière pour ne pas m'intimider. C'est ça, le professionnalisme : c'est le sens de la juste mesure dans les multiples facettes du rapport avec le client.

Je plains les jeunes hommes d'aujourd'hui, parce que dans le Paris contemporain, les chambres où leur mémoire pourrait imprimer le souvenir de leur putain originelle chevauchant un bidet n'existent plus. Les changements de valeurs devant la sexualité, changements qui se sont traduits par des lois répressives de la bandaison non assouvie, les ont fait disparaître. La France a rejoint la grande cohorte hideuse des pays hypocrites. Il reste toujours des endroits où les hommes en mal de sexe peuvent aller se dégorger les couilles, mais il s'agit le plus souvent d'abjectes cabines de voyeurisme; rien de plus que des salons de projections de films pornos; en somme, de simples temples de l'onanisme de bas étage!

De nos jours, lorsque les quelques prostituées de chair palpable et leurs clients se rencontrent, ils le font à leurs risques et périls… judiciaires. Cela, pour les pauvres gens et ceux de la classe moyenne. Les riches, eux, auront toujours les moyens de se procurer des services sexuels de qualité, dans l'Hexagone comme partout ailleurs dans le monde. C'est que dans la sexualité comme ailleurs, c'est souvent le bon vieux fric qui mène le bal.

Marie-Madeleine

Dans le monde à l'économie diversifiée (mais principalement post tertiaire) dans lequel nous naviguons, un monde où les énergies fossile et électrique ont remplacé la force musculaire, un monde où très peu de professions convenablement rémunérées sont fermées aux femmes, il est facile d'oublier que de tout temps le principal capital féminin a été son potentiel sexuel et reproductif – les deux allant idéalement de pair. Un capital qui atteint son pic de valeur avec la puberté et, à partir de ce moment crucial et charnière dans la vie d'une femme, qui s'érode progressivement pendant toute la vie de l'intéressée, au fil de son inéluctable usure, de son vieillissement.

Comme pour toutes les autres formes de capital – une pile de gros billets de banque, une magnifique résidence, des parts de corporations *Blue Chips*, des obligations d'épargne, des comptes bancaires bien garnis, etc. –, sa gestion est des plus délicates. Si une femme choisit de ne pas diversifier et met tous ses œufs (littéralement) dans le même panier, il lui faudra sélectionner ce dernier, i.e. son mari, avec énormément de soin et de discernement. Si elle diversifie trop en se commettant auprès de plusieurs prétendants ou si elle se montre trop généreuse de ses faveurs, ces dernières perdront vite de leur valeur marchande.

C'est la loi de la rareté, laquelle veut que les biens ou les services qui sont en surabondance aient rarement beaucoup de valeur monnayable : l'eau de pluie dans les contrées humides, le travail non spécialisé dans les pays pauvres, le soleil en Australie, les saints hommes en Inde, la neige en Gaspésie pendant l'hiver...

Il est impossible d'aborder le vaste sujet de la prostitution sans rappeler qu'il s'agit du plus vieux métier du monde. Certains y verront peut-être un vieux cliché éculé, mais il décrit toujours parfaitement la réalité. Il est tout à fait vrai que, de tout temps, les femmes ont compris qu'elles pouvaient retirer toutes sortes d'avantages – pécuniaires et/ou en nature – de l'exploitation de leurs charmes.

N'importe quelle adolescente bellement tournée remarque vite que les regards mâles s'accrochent de plus en plus à ses formes prometteuses. N'importe quelle femme particulièrement ravissante saisit vite qu'elle représente une exception, que les belles créatures comme elle-même sont rares. Qu'elle a une valeur – dans plusieurs acceptions du terme – plus grande que la moyenne de ses sœurs.

Sauf exception, sa vie en sera grandement facilitée : on l'aidera volontiers dans son travail, on lui pardonnera facilement ses fautes, on passera sur ses sautes d'humeur, on sourira de ses caprices, un rien la mettra en valeur, elle sera toujours en haut de la liste d'invités, elle sera populaire, on aimera sa compagnie. Tout cela pour la simple raison qu'elle est belle. Et tout le monde aime la beauté, d'abord et avant tout la beauté féminine.

On aura beau livrer de longs discours édifiants sur la beauté du cœur ou de l'âme, l'esthétisme palpable qu'incarne une jolie femme n'a pas son pareil pour inspirer les gestes les plus chevaleresques – ainsi que les comportements les plus condamnables – pour se rapprocher de cette beauté, pour la séduire, pour la toucher, pour la caresser; bref, pour la posséder. Fondamentalement, pour se reproduire avec elle.

J'entends d'ici l'objection classique : « La beauté est une question de goût. Elle est dans l'œil de celui qui regarde. » Si c'était ça la règle, plusieurs grandes vedettes de cinéma seraient des boudins et les publicitaires utiliseraient des grosses courtes mal frisées (et des gros pansus boutonneux) pour vendre qui des véhicules motorisés, qui des vacances dans le Sud, qui des bouteilles de Coca-Cola.

Si c'était vrai, les musées et les jardins publics européens seraient peuplés de corps de pierre disharmonieux représentant Aphrodite et son pendant masculin Apollon. Imagine-t-on une marchande de poissons édentée ayant servi de modèle à Diane chasseresse, ou encore une bedaine de bière doublée d'un triple menton installée sur des jambes fluettes et arquées en Zeus, le dieu principal du panthéon grec? Non! Les belles personnes ont la cote – elles l'ont toujours eue et elles l'auront toujours –, cela pour la simple raison que tout le monde aime à se projeter dans la beauté.

Dans le même esprit, voici deux exercices recommandés au voyageur qui s'interroge sur le fameux relativisme de l'esthétisme. Le premier consiste à se rendre à Florence, à la Galerie des Offices [*Galleria degli Uffizi* en italien], à se faufiler dans la foule en état de béatitude devant *La Naissance de Vénus*, et à se demander si ces visiteurs venus du monde entier seraient là si Botticelli avait utilisé une obèse défraîchie comme modèle de sa déesse de l'Amour.

Le deuxième l'amènera sur la *Piazza Nettuno*, attenante à la *Piazza Maggiore* de Bologne, toujours dans le royaume de l'esthétisme plastique par excellence qu'est l'Italie, à la fontaine dédiée à Neptune, où les ressortissants des contrées hypocrites sont ébahis de voir de puissants jets d'eau jaillir des mamelons des quatre naïades

– elles symbolisent autant de grands fleuves du monde alors connu – entourant le Dieu des Flots. Si notre voyageur possède deux onces d'honnêteté intellectuelle, il admettra que pour que la scène «flotte», il est essentiel que les seins dispensateurs du liquide de vie (eau/lait) soient jeunes et fermes [pléonasme!].

Le beau mannequin [autre pléonasme!] peut vendre de tout à tous et à toutes parce que nous rêvons tous et toutes de troquer notre peau pour la sienne. En achetant ce qu'il vend, nous acquérons – c'est du moins ce que nous croyons de façon plus ou moins consciente – une parcelle de ce nous n'avons pas : la beauté incontestable, indiscutable, frappante, inspirante, valorisante du mannequin.

En Occident, parce que la majorité des gens n'ont pas des visages et des corps très harmonieux, ce beau monde forme une classe à part : ce sont les *beautiful people*, une petite communauté très sélecte dont les faits, les gestes et, de plus en plus, les opinions politiques sont suivis par la planète entière. «S'ils sont beaux, ils doivent avoir fait les bons choix et avoir raison », se dit-on en son for intérieur. Raisonnement entièrement fallacieux, mais parfaitement normal!

Fort bien, mais que vient faire Marie-Madeleine là-dedans?

Si le panthéon des personnages phares de la chrétienté comprend une femme de mauvaise vie comme Marie-Madeleine, c'est probablement parce que les prostituées faisaient partie du décor humain dans lequel a évolué Jésus-Christ il y a deux mille ans. Ici, des esprits malins parieront que cette M.-M. était la catin attitrée de cette douzaine d'hommes, des individus aussi esseulés qu'illuminés – le premier état produisant communément le dernier prodige.

Si l'on remonte encore dans le temps, il appert que le monde antique était plein de femmes de la trempe de M.-M. Ce qui confirme – et clôt – la question de savoir si cette profession est vraiment aussi vieille qu'on le dit.

Passons à son apparence physique. Peut-on seulement imaginer une personnification d'une Marie-Madeleine qui soit repoussante? Non! Sans la rendre aussi éthérée que la Vierge Marie, les représentations de la courtisane du Nouveau Testament se doivent de la montrer minimalement attrayante. Autrement, le personnage ne serait pas crédible. Qui, en effet, aurait payé pour le privilège de connaître l'intimité d'une personne sans attraits physiques particuliers, sans aucun sex-appeal?

La règle souffre peu d'exceptions : la capacité d'une fleur de macadam à obtenir un prix élevé pour ses services dépendra de son sex-appeal, lequel repose, dans des proportions toujours variables, d'abord et avant tout sur sa jeunesse et sur sa beauté physique. Ces deux attributs vont d'ailleurs de pair : rarissimes sont les femmes et les hommes dont l'allure physique s'améliore avec l'âge.

Il a y toujours les « spécialités » – genre praticienne autrement mince dotée de seins monstrueusement démesurés, ou encore lilliputienne grassouillette sachant manier le fouet à sept branches –, mais cet univers est beaucoup trop marginal pour être abordé ici.

Le commerce de la chair ne serait-il qu'une question d'offre et de demande?

Et pourquoi pas? Et comment donc pourrait-il en être autrement? Peut-on imaginer une situation où une pute presque retraitée arriverait à soutirer à ses clients les mêmes montants qu'une jeune beauté fraîchement arrivée sur le marché? Un prix unique pour tous et toutes? Le jour où ce système utopique fonctionnera, les Lamborghini se vendront au prix des Chevrolet, les hôtels cinq étoiles seront fréquentés par les routards et autres sans-le-sou, mon alter ego Gaston battra Rafael Nadal en deux sets… et les poules auront des dents.

À intervalles réguliers, lorsqu'un scandale impliquant des gens connus ou que l'actualité est autrement calme, des voix (intéressées) s'élèvent pour que les pouvoirs publics (encore et toujours eux) instaurent des politiques visant à faire disparaître « une fois pour toutes » le « fléau » de la prostitution. Des bonnes âmes expriment leur dégoût; des mouvements féministes politisent le phénomène (« C'est la faute des hommes, c'est donc eux qu'il faut criminaliser! »)

et en profitent pour demander encore plus de budgets de fonctionnement pour rénover leurs bureaux; des criminalistes offrent leurs services (chers) pour lancer des poursuites; des sociologues (moins chers) opinent qu'il faut relativiser le problème; des criminologues soulignent que les mafias font (de moins en moins) de cette activité leurs choux gras; des policiers font le lien avec le commerce des drogues et ses ravages afférents (ce qui prouve qu'il faut enquêter jour et nuit, et en temps supplémentaire s'il vous plait); des comptables avancent de gros chiffres; des juges rêvent de procès (hyper chers) ou, mieux, de commissions d'enquête (encore plus payants pour eux) pour aller au fond des choses… jusqu'à la prochaine fois et la prochaine génération de ces parasites de toutes livrées.

À moins que tous ces gens soient de parfaits imbéciles ou, pire, des ignares idéalistes, ils savent très bien que le phénomène de la prostitution – le plus vieux métier du monde – est né avec la vie en société, et qu'il mourra avec elle. Pourquoi, alors, font-ils semblant de l'ignorer?

Mais pour l'argent, voyons! Parce qu'ils en vivent, et très bien merci, eux, de l'étude et de la répression dérisoire et futile d'un commerce irrépressible, un commerce qui prospérera aussi longtemps que les hommes auront des pulsions sexuelles. Les comptables de tout à l'heure peuvent peut-être nous dire ce que la prostitution rapporte aux putes et aux proxénètes qui vivent sur leurs dos, mais il serait instructif qu'ils chiffrent également ce que les nombreux rouages du rouleau compresseur de la machine judiciaire arrivent à extirper de ces mêmes putes.

En fait, si l'on remonte jusqu'au maillon originel de la longue chaîne du commerce de la chair, ce sur quoi tout ce beau monde (y compris les péripatéticiennes elles-mêmes) broute sans vergogne, c'est la bandaison intempestive de l'homme. Une ressource renouvelable s'il en est.

Cette vérité primordiale étant lancée, terminons ce chapitre sur une note constructive en disant qu'il y aurait une façon de combler de manière honorable la demande, toujours renouvelable, de services sexuels hors des liens du mariage. Tel que suggéré par une iconoclaste articulée dans une lettre ouverte au journal français Libération à l'automne 2012, il suffirait que des brigades de femmes bien-pensantes, aussi généreuses de leurs corps que de leur temps, offrent leurs services à titre tout à fait gracieux aux clients potentiels des prostituées. Ce bénévolat tuerait net cet odieux marché de la chair et enverrait au chômage – ou, plutôt, à l'usine ou au bureau si offre de travail bien rémunéré il y a – les émules de Marie-Madeleine.

Que les volontaires lèvent les deux mains! Il coule de source que les moches et autres laiderons sont poliment priés de s'abstenir, car ces bénévoles en mal de bonnes œuvres risquent fort de ne pas dénicher de misère humaine – entendre « érections intempestives » – à soulager.

Nancy va à la pêche

Lorsque la séduisante Nancy Swiderski [nom fictif] s'est engagée dans la Police de Wawa [capitale fictive], les membres de sa famille et la plupart de ses amis ont été pris de court. C'est qu'elle n'a vraiment pas le profil de l'emploi : pas du tout baraquée et d'allure féminine, frimousse angélique et démarche timorée, personne ne l'aurait imaginée en uniforme de flic. C'était sans compter sur le salaire alléchant et le généreux fonds de pension offert par le Service de police.

Parce qu'elle est du genre à savoir planifier pour le long terme, Nancy a calculé qu'en passant rapidement par l'École de police plutôt qu'en entamant de longues et fastidieuses études universitaires, elle pourrait prendre une belle retraite au début de la cinquantaine et, ainsi, vivre son rêve le plus cher : s'installer à demeure au Costa Rica en chantant *¡Adios!* aux rigoureux hivers kakayens ainsi qu'aux lourds impôts de ce pays, et *¡Bienvenidos!* aux rythmes latinos – ils sont tellement plus sensuels.

Difficile de ne pas la suivre dans son raisonnement.

En ce début de soirée douce pour la saison, cette jeune policière pour le moins hors gabarit met la dernière touche à un maquillage habile qui sait rapetisser son nez en mettant ses beaux yeux noisette en évidence, et donner du volume à une bouche plutôt austère. On pourrait aussi bien parler de camouflage, car sa jupe rase-bonbon, son soutien-gorge amplificateur de poitrine et ses souliers à talons-aiguilles n'ont rien à voir avec la tenue réglementaire de la force constabulaire wawaouaise. Il n'y a que ses longs cheveux de *bottle-blonde* toujours relevés en chignon qui pourraient la faire reconnaître par ses proches.

Cet accoutrement aguichant, Nancy s'en affuble parce qu'elle se prépare à partir à la pêche dans les petites rues mal éclairées qui encadrent le Marché Central, le seul quartier un tant soit peu animé de la capitale kakayenne autrement perpétuellement endormie. Elle s'en va à la pêche aux *Johns*, c'est-à-dire aux clients des putains qui œuvrent autour du Marché.

L'idée biscornue derrière ce type d'opérations, c'est qu'en appréhendant certains de leurs clients, la police fera fuir les autres et le commerce du sexe va ainsi disparaître de lui-même faute d'acheteurs. Et quoi de mieux, pour pincer l'un de ces affreux *Johns* sur le fait, qu'une fausse prostituée – une fliquette déguisée en pute? Et si quelqu'un crie au traquenard! Au guet-apens! À la provocation! À l'*entrapment*!, les zélés procureurs du gouvernement auront beau jeu de citer plein de précédents où les cours kakayennes ont avalisé ce genre de coups fourrés – cela dit sans jeu de mots.

Et la machine judiciaire continuera à tourner à plein régime, à se nourrir elle-même et à engraisser ceux qui en dépendent : juges, avocats (des deux bords : accusation et défense), greffiers, sténographes officiels, secrétaires, commis, archivistes, gardiens de sécurité, balayeurs, cuisiniers, plombiers, préposés au stationnement, etc., etc., et, sur la ligne de front – là où la chasse et la pêche battent leur plein en toutes saisons –, un énorme appareil policier dont Nancy Swiderski n'est qu'un infime rouage, une petite canne parmi une multitude d'autres attrapes.

La Machine continuera de broyer des jeunes femmes qui auront eu le tort impardonnable de tenter de se faire du fric en rendant des services sexuels qui font manifestement le plus grand bien à leurs bénéficiaires; des hommes qui pensent que rien ne peut remplacer la femme et qui trouvent infiniment plus de plaisirs entre les paluches d'une pute qu'entre leurs propres menottes; des mecs qui ne sont pas satisfaits de se masturber en visionnant des images pornos; des épouses qui ne comprendront peut-être pas que leur mari ait eu envie d'une grosse (ou, par les temps qui courent, plus probablement d'une petite) paire de fesses ou de seins, pour une fois, pour changer; des enfants à qui il sera difficile d'expliquer pourquoi le nom de papa est étalé dans les journaux et pourquoi les voisins semblent dissimuler des rictus railleurs en l'apercevant; des patrons qui ne sauront plus quoi faire de ce cadre par ailleurs compétent, mais par qui est venue la honte; etc.

Montagnes de souffrances inutiles découlant de faux crimes qui ne font aucune victime! Aberrant! *Made in Kakan*! [Pays fictif, rappelons-le : ses pléthores de procureurs sont peut-être en train de nous lire.]

Notre policière a récemment eu droit à de chaudes accolades de la part de ses collègues à la suite de l'arrestation d'un député qui s'était laissé tenter par son fessier replet – et bien mis en évidence. Ce vilain libidineux – un gars dans la jeune quarantaine que nous appellerons Marc-André – avait arrêté sa voiture sport près de Nancy la fausse pute aux vraies pyges d'enfer, et lui avait demandé si elle « travaillait ». À la réponse affirmative de la belle, le policier en goguette a demandé des précisions sur les prestations et les prix correspondants.

Pour toute réponse, la fliquette lui a mis un badge plaqué argent dans la face, assorti d'un tonitruant « *You're under arrest!* » C'est le signal qu'attendaient quatre vrais flics habillés en flics pour se ruer d'une camionnette banalisée et amener le jeune politicien au poste. La carrière de Marc-André, jusque-là très prometteuse, est restée collée sur le grabat d'acier froid de la cellule sordide où il a passé la nuit.

Le pauvre vieux en fait encore des cauchemars. On le comprend : d'autres seraient devenus à tout jamais impuissants pour moins que ça.

En stricts termes de légalité, notre nouvellement criminalisé a commis une erreur majeure : il a parlé (ce que font beaucoup les politiciens en herbe).

En gros, la loi kakayenne dit que la prostitution *per se* n'est pas illégale, mais que le racolage, dans un sens ou dans l'autre, l'est (article 9213 du Code pénal). Autrement dit, Marc-André aurait très bien pu profiter des services sexuels de Nancy, cela contre payement en espèces sonnantes et trébuchantes, mais à la condition expresse de ne pas en négocier les termes avec elle dans un endroit public.

S'il peut y avoir commerce, il ne peut pas y avoir de communication ouverte sur les termes de ce commerce. Le summum de la tartufferie légale!

Je ne suis pas juriste, mais j'en conclus que le code pénal kakayen fiche la paix aux sourds-muets qui veulent se faire du bien (d'un genre dont on ne parlera pas ici, la police de Wawa est peut-être à l'écoute) en échange d'un bon repas de fruits de mer ou d'un gros billet.

J'oubliais : il est vrai qu'ils savent normalement communiquer par signes. Zut et rezut! Arrêtez-les au plus sacrant et jetez-les tous en prison! Ça leur apprendra à se faire des mamours rémunérés!

À propos de bons repas, le gars – ou, de plus en plus, la fille – qui paye un souper romantique à un partenaire de lit potentiel a avantage à être prudent : la tradition veut que la police kakayenne attrape toujours son homme. On pourrait ajouter que pour ce faire, tous les moyens ou presque sont bons.

Il n'y aurait aucune communication au su du chaste public si les prostituées pouvaient recevoir leurs clients dans une maison close, un bordel. Or, par l'article 9210, la loi criminalise la tenue d'une «maison de débauche». On n'échappe pas au code pénal rédigé par de savants hypocrites!

En cellule, Marc-André n'est pas arrivé à fermer l'œil parce que la plaque d'acier froid qui lui servait de grabat l'a fait grelotter toute la nuit. Et pour s'assurer que ce vilain prévenu en prendrait pour son rhume, les gardiens l'ont tenu éveillé en frappant violemment de leurs matraques les barreaux de sa cellule toutes les demi-heures.

(Ces pauvres types ne sont rien d'autres que des sadiques en uniforme, des sadiques malfaisants qui s'adonnent à leur vice sous le regard indifférent des caméras de surveillance de la Machine.)

Le lendemain avant-midi, quand, dûment menotté, pas rasé et l'air hagard par manque de sommeil, le prévenu Marc-André s'est retrouvé dans un petit compartiment vitré blindé attenant à une salle d'audience du Palais de justice de Wawa, un greffier lui a lu un acte d'accusation et lui a demandé s'il plaidait coupable ou pas, il a eu le réflexe de répondre : « Non coupable! » Mal lui en prit.

La Machine l'a remis en liberté moyennant un cautionnement symbolique de mille dollars et l'engagement, sous peine d'une condamnation automatique à deux ans de pénitencier, à revenir devant le tribunal deux mois plus tard. L'accusé a bien tenté d'expliquer au juge qu'il habitait à plus de deux pleines journées de route de Wawa, mais le magistrat, irrité, a déclaré sèchement – via une interprète – que cette information n'était pas pertinente à la cause et il a ordonné qu'on fasse sortir Marc-André.

Dans la même veine, lorsque le prévenu s'est plaint à une juge de ses conditions de détention dans le sous-sol du poste de police de Wawa – aucune couverture, aucun matelas pour couper le froid du grabat d'acier, buvette défectueuse, pas de papier de toilette, pas d'accès à son chandail (lequel aurait pu le réchauffer quelque peu) –, il s'est fait froidement répondre que ces conditions facilitaient le nettoyage des cellules. [Hum... Faciliter le nettoyage...]

(Ici, coups de marteau des juges.) Au suivant!

Une fois temporairement en liberté et pratiquement jeté sur le trottoir de la rue Nelson, à pied et affamé, le député inculpé s'est précipité dans le petit McDonald's d'en face et il a engouffré deux Big Macs et un bon café chaud... après avoir fait un long détour par les toilettes. Il a mis deux jours à localiser la fourrière municipale où sa voiture avait été amenée par les collègues de madame Swiderski.

Qu'est-ce qu'on fait quand la société s'est mise dans la tête de vous criminaliser? Hé oui! On cherche un avocat, plus précisément un criminaliste. Marc-André n'a pas eu trop de difficulté à dénicher un petit cabinet partagé par deux juristes francophones – une femme et un jeune homme parfaitement bilingues. Comme le gars était originaire de la Côte-Nordique, le futur ex-député – c'est du moins ce qu'il appréhendait, croyant (à tort) que le chef de son parti allait l'obliger à démissionner dans les plus brefs délais – s'est senti en confiance.

Le criminaliste lui a expliqué qu'avant même qu'il n'ouvre la bouche, l'accusé devait mettre trois mille dollars, cash et en coupures de $100, sur le coin de son bureau. Il faut croire que dans ces milieux-là, n'est-ce pas, rien ne vaut la confiance induite par des billets bruns à l'effigie d'un homme politique insignifiant dont tout le monde a depuis longtemps oublié le nom.

De deux choses l'une. Le criminaliste, moyennant les 3 000$ déjà versés, recommandait fortement au politicien inculpé de plaider coupable, ce qui lui permettrait de tenter de tourner la page relativement rapidement sans avoir besoin de se taper une série d'allers-retours Baie-Camo [endroit fictif]–Wawa.

Dans le cas contraire (si Marc-André plaidait non coupable), l'avocat s'occupait de représenter l'homme à la bandaison malencontreuse pendant toutes les procédures (qui s'étaleraient sûrement sur plusieurs mois, voire sur une couple d'années) et à le défendre au procès proprement dit. Le prix de ces bons services? 20 000$ cash. Et en beaux billets bruns SVP!

(Décidément, les avocats semblent avoir un faible pour la couleur brune – la couleur préférée des lèche-culs. La teinte des enveloppes qui renferment les beaux billets, par contre, leur importe peu.)

Pour faire une histoire courte, un rapide coup d'œil sur son maigre compte d'épargne a convaincu l'accusé de se défendre lui-même. Trente mois plus tard, et après d'innombrables déplacements entre la Côte-Nordique et Wawa, la Machine et ses régiments d'hommes et de femmes de loi professionnels – tous grassement payés par des contribuables vulnérables (si, tel notre homme, il leur arrive de bander ou de mouiller au mauvais moment) – ont eu raison de la détermination de Marc-André, un homme qui ne peut même plus se camper en « p'tit gars de Baie-Camo ».

Après quelques nuits blanches de réflexion et de soupesage des pour et des contre, Marc-André s'est résigné à plaider coupable.

Plus grave encore, la Machine a également eu raison de sa conviction profonde qu'il n'avait commis aucun crime, qu'une érection provoquée par une belle fliquette déguisée en putain sexy [encore un pléonasme] ne faisait pas de lui un criminel. Aujourd'hui, il ne sait plus : il est mêlé.

Résultat : Marc-André traîne désormais un dossier criminel (ça se place mal dans le CV d'un politicien déchu) et il a dû s'engager, pour une période de deux ans bien sonnés, à ne plus solliciter de services sexuels rémunérés. Le jugement ne précise pas comment notre nouveau criminel doit gérer ses érections, mais aux dernières nouvelles le code pénal kakayen n'interdisait pas la crossette à deux mains – on aura compris que les menottes en question doivent impérativement être celles du crossé. Sinon, gare à la police!

Du strict point de vue financier, notre nouveau «criminel» n'a rien épargné en se défendant lui-même : quand il additionne les frais de toutes sortes occasionnés par la multiplication des requêtes et autres comparutions obligées à Wawa (nombreux et longs voyages allers-retours, frais de logement, etc.), le total frise les 35 000 douilles.

Avec le recul, Marc-André admet que le criminaliste de Wawa avait raison de lui conseiller de plaider coupable d'entrée de jeu. Ce criminaliste a de l'expérience; il fait partie de la gamique. Il connaît son marché et le fonctionnement de la Machine. La justice avec un tout petit j, c'est son Business avec un grand B.

Parce que les citoyens (tous justiciables) sont la matière de sa passion (la politique), le jeune politicien brisé répète autour de lui que sa lecture des faits divers est maintenant très différente : quand les journaux rapportent qu'untel a plaidé coupable à telle ou telle accusation criminelle, il regrette que cette nouvelle omette toujours de dire combien de beaux billets bruns le ou la criminaliste exigeait pour le défendre.

De son côté, l'agente Swiderski n'est pas peu fière de cette belle prise – un politique, on dira ce qu'on voudra, c'est pas rien! Elle sent même une pointe d'envie de la part de quelques collègues féminines – généralement pas féminines pantoute. On s'en doute, ces policières sont loin d'être aussi bien foutues qu'elle : par conséquent, elles ne sont pas aussi bien équipées pour attraper des gros poissons.

La blonde Nancy ne peut pas le savoir pendant qu'elle remonte encore un peu plus sa jupe déjà écourtichée (comme le disait ma maman) en se postant au coin des rues Queen et King, mais ce soir elle va sortir une autre grosse prise, en fait une très grosse prise. Un poisson dont même une fille ambitieuse comme elle n'aurait jamais osé rêver.

Le docteur Gutemann – surnommé « le bon docteur » – est l'une des personnalités les plus en vue de la capitale du Kakan. Décoré de l'Ordre du Bon Gars, cet homme talentueux et plein d'humanité sert de modèle, quand ce n'est pas carrément de mentor, à plusieurs jeunes disciples d'Hippocrate. Les congrès internationaux de médecine se l'arrachent et les nombreux projets de l'institut de recherche qu'il dirige dégotent facilement du financement.

L'intégrale des *Années de Pèlerinage* de Ferenc Liszt – son compositeur préféré – présentée au Centre des Arts s'achève à peu près en même temps que, quelques rues plus bas, la fliquette Nancy lance sa longue perche armée des hameçons létaux que la plupart des femmes savent sortir de leur garde-robe intime lorsqu'elles veulent *to dress for a killing*.

D'habitude, madame Gutemann accompagne son illustre époux dans ses sorties culturelles, mais ce soir elle a senti le besoin de se reposer, complètement vannée par son rôle très actif de grand-maman aimante et dévouée ainsi que par ses trop nombreuses activités de bénévolat.

Lorsque la modeste berline de celui que plusieurs considèrent comme un véritable bienfaiteur de l'humanité passe devant la fausse pute, quelque chose d'aussi mystérieux que puissant se déclenche dans le cerveau du bon docteur : en voyant cette jeune femme aux formes généreuses, cette représentation vivante, apparemment disponible, de la quintessence lubrique, il veut la connaître. Il la veut. Ce désir n'a rien à voir avec le sentiment amoureux qui lie deux personnes qui se comprennent profondément sur plusieurs plans.

Cette envie ressentie par le médecin émérite de posséder l'aguichante Nancy est primale, presque animale. Le savant ne pourra jamais expliquer pourquoi, exactement, il a éprouvé le besoin incontrôlable de parler à cette jeune femme de mauvaise vie, ni pourquoi cette soif de la toucher, de la posséder l'a foudroyé à ce moment précis.

Est-ce que l'apparition de ce bel objet sexuel l'a ébloui? Est-ce que son équilibre hormonal avait été mis à mal par les chefs-d'œuvre pianistiques? Est-ce que le temps anormalement doux a débridé une libido autrement parfaitement domptée? Est-ce la jeunesse de l'agente – une jeunesse qui, malgré son fard trop épais, faisait pétiller ses prunelles – qui a harponné le vénérable médecin? Est-ce que le minois typiquement slave de Nancy a frappé une corde particulièrement sensible de l'âme de cet esthète? Se pourrait-il que le genre de beauté particulier de la fausse putain corresponde à une empreinte jusque-là en dormance dans sa mémoire archaïque?

On pourrait multiplier les conjectures à l'infini, mais chose certaine c'est qu'en rebroussant chemin pour repasser devant la policière malicieusement déguisée en fleur de trottoir, il plongeait dans un gouffre cauchemardesque. L'un de ces gouffres qui, en brisant des hommes parfois de grande valeur, font le pain et le beurre de la machine judiciaire. Une Machine infernale qui, telle la déesse Nout, n'hésite pas à dévorer ses enfants. (À cette petite différence près que la divinité égyptienne, elle, les régurgitait le soir revenu…)

À l'instant précis où il a ouvert la portière pour inviter Nancy à monter, sa vie a capoté. Quand la fausse pute a exhibé son badge de policière et le micro qui lui avait servi à enregistrer leurs tractations illicites, le médecin, un homme dans la soixantaine avancée, est venu tout près de faire un infarctus. Lorsqu'il s'est retrouvé menotté tel un malfrat par des agents charpentés comme des armoires à glace, des gaillards qu'il avait peut-être soignés quand ils étaient enfants, son solide système de valeurs, élaboré pendant des décennies d'études fastidieuses et de don total de soi, s'est effondré d'un seul coup. Étage sur étage, pièce sur pièce, brique sur brique, clou sur clou, molécule sur molécule...

Quel crime infâme avait-il donc commis pour être traité de la sorte?

Au moment où la fourgonnette de patrouille blanche est arrivée au poste, son esprit se débattait encore dans des débris informes de morale, et un maelström de poussières qui tordait ses entrailles a failli faire vomir le décoré de l'Ordre du Bon Gars avant de lui dessécher complètement la bouche.

Le goût de plomb de cette cendre lui a rappelé celui de la peine qu'il ressent toujours lorsqu'il doit annoncer à l'un de ses chers patients que ce dernier est irrémédiablement condamné par la maladie, et que même lui, le bon docteur Gutemann, ne peut plus rien faire pour stopper la Grande Faucheuse.

Parce qu'il avait été mieux conseillé que notre ami Marc-André de Baie-Camo – il en avait les moyens financiers –, le docteur Gutemann a tout de suite conclu une entente avec la police à l'effet que cet homme de talent, cet humaniste accompli, ce presque saint assisterait à de loufoques séances de sensibilisation à une *John School*. Dans ces «classes», les clients arrêtés par la police entendent des détectives, des procureurs de la poursuite et d'anciennes filles de joie réformées leur prêcher les ravages causés par cette activité.

Il y a fort à parier qu'aucun de ces chevronnés intervenants ne précise que si seulement eux et leurs pareils laissaient les travailleuses du sexe et leurs *Johns* tranquilles, le commerce de l'amour ferait infiniment moins de dégâts.

On s'en doute bien, cette petite affaire a fait la grosse une dans la capitale normalement somnolente. Quantité d'encre a coulé pour s'interroger sur le bien-fondé d'utiliser les fonds publics pour piéger les *Johns*. Des éditorialistes à la plume particulièrement lucide sont allés jusqu'à se demander comment un acte certes moralement répréhensible pouvait constituer un crime si l'acte en question était accompli entre adultes consentants et s'il ne faisait aucune victime. Un lecteur a même persiflé qu'à ce compte, on devrait piéger et pourchasser les gens soupçonnés de pensées malveillantes envers leurs voisins.

Un chanteur-philosophe d'origine acadienne, lui-même réputé chaud lapin, est descendu de sa tour d'ivoire artistique pour rappeler, en beaux vers rimés faciles à mémoriser, que « Souvent l'occasion, elle fait le larron. »

Naturellement, un certain puissant lobby féministe – un groupe de pression soutenu financièrement par les contribuables, tout comme le fonds de pension de la belle Nancy et ses semblables – n'a pas manqué d'utiliser cette affaire pour fustiger les exploiteurs, petits et grands, de la femme victime historique de la domination des méchants mâles, domination mise en place par le système patriarcal, lui-même instauré de longue date par les hommes pour assouvir leurs soifs de domination et leurs bas instincts, etc., etc.

De son côté, le front de la Machine – dans le cas qui nous occupe, les éléments de la force constabulaire qui font leur fromage de la chasse aux prostituées et de la pêche à leurs clients – a réaffecté madame Swiderski et ses consœurs aux chicanes de ménage, juste le temps que les marées changeantes de l'actualité submergent les malheurs fort médiatisés du très gros poisson.

Il n'y a surtout pas à s'inquiéter pour ces fonctionnaires sangsues de la répression sexuelle : de toute façon, les énormes filets aux mailles réglables de ces *busy bodies* invétérés ramèneront toujours assez de menu fretin – des gens anonymes comme vous et moi – pour gaver leur business à satiété.

L'offre et la demande

Même si l'expression consacrée – sans conteste la plus connue des implacables lois de l'économie – place le concept de l'offre avant celui de la demande, bien malin qui pourrait dire laquelle, de l'offre ou de la demande de la plupart des biens et services modernes, précède l'autre en l'entraînant à sa suite.

Est-ce vraiment pour combler une demande latente, non encore exprimée, que les téléphones portables sont devenus si intelligents? Est-ce plutôt le fait que ces appareils soient offerts sur le marché que les consommateurs se les arrachent? Idem pour le lait écrémé, les voyages organisés, les pommades de rajeunissement, les psychologues, les cachets anti-dépression, les danseuses nues, les planches à roulettes, le fil dentaire… C'est l'œuf ou la poule.

Dans le cas qui nous occupe ici, celui de mes amies les péripatéticiennes, il est patent que cette activité économique – la définition est satisfaite parce qu'il y a paiement contre service rendu – fonctionne elle aussi selon la loi de l'offre et de la demande. Or, laquelle précède l'autre? Voyons voir, ou, plutôt, contentons-nous d'essayer d'y voir clair, tant les choses ne sont pas évidentes dès lors qu'il s'agit de sexualité.

Imaginons un homme sain de corps et d'esprit qui se retrouve naufragé sur une île déserte, mais une île qui renferme tout ce dont il a besoin pour bien vivre (victuailles, logement, sécurité par l'absence d'ennemi)… sauf une femme. Si, avant de s'échouer, notre homme s'épuisait dans la *Rat Race* dans un pays très développé économiquement, pendant les premiers jours de sa solitude forcée il sera sans doute fort content de pouvoir enfin se reposer en s'occupant à regarder passer les nuages et à admirer les couchers de soleil.

Après environ une semaine, un sentiment d'absence diffuse commencera de l'envahir progressivement, insidieusement, presque sournoisement. Il aura beau se répéter que cette île est décidément paradisiaque, le manque en question deviendra une obsession. Il a tout, oui, sauf l'essentiel : une compagne. Des souvenirs d'anciennes petites amies et de simples flirts commenceront à défiler dans sa tête avec, naturellement, l'idéalisation que confèrent les distances géographique et temporelle. Puis, avec le temps qui passe, il se surprendra à fabriquer des femmes avec des pièces détachées prises chez l'une et chez l'autre. Il se construira une femme imaginaire, très probablement de sa propre race/ethnie et de son propre milieu socio-économique.

Les semaines suivant les semaines, il se campera dans les situations les plus lascives, quelquefois avec ses personnages composites, d'autres fois avec des femmes qu'il a connues intimement ou qu'il aurait aimé connaître. En d'autres termes, il utilisera son imagination pour fantasmer à plein tube… et son poignet pour se branler à tour de bras.

Au fur et à mesure que les semaines deviendront des mois, notre naufragé esseulé deviendra moins difficile. Parachutez-lui une femme, n'importe quelle femme, et il lui trouvera des charmes insoupçonnés. N'importe quelle chair de femme le fera bander.

En fait, poussez l'expérimentation à ses limites en remplaçant les mois par des années et cet homme par ailleurs tout ce qu'il y a de plus conventionnel s'adonnera allègrement à l'homosexualité, voire à la zoophilie, si l'occasion se présente. (Ici, que les dames patronnesses se voilent les yeux : c'est ce qui se passe dans les prisons du monde entier et dans les déserts d'Arabie et d'ailleurs!)

Revenons un peu en arrière et demandons à ce gars s'il aurait des scrupules à rétribuer une femme – disons une indigène venue d'une île voisine, ou encore une fille de joie de son pays d'origine livrée par les bons soins de la Croix-Rouge ou du Croissant-Rouge – pour qu'elle couche avec lui. Je parie ma dernière paye que s'il n'arrive pas à déterrer quelques vieux dollars pour la dédommager de ses services (services devenus désormais rien de moins qu'impérieux), il la violera sur la plage sans aucun état d'âme. C'est la fougue de la demande… naturelle.

Notre naufragé est prêt aux pires violences parce que la demande est énorme et l'offre minuscule. Ce schéma, quoiqu'il puisse apparaître extrême, s'apparente à ce que vivent des centaines de millions d'individus mâles coincés dans une situation économico-culturello-géographique qui ne leur offre aucune femme. On connaît tous le cas de la Chine actuelle, pays où des millions de célibataires – impossible de ne pas compter en neuf zéros quand on parle de la Chine – en âge de prendre épouse se retrouvent solitaires à la suite des quelques décennies de la politique d'un seul enfant par famille. Parce que les parents sélectionnent les foetus mâles, plusieurs centaines de ces gars sont aujourd'hui en prison pour avoir enlevé des femmes ou tenté d'acheter des épouses.

À l'autre extrémité du spectre, dans moult pays hyper développés économiquement, les compagnons à quatre pattes suppléent tant bien que mal à la pénurie de demandes de la part des animaux à deux jambes. La chose est patente, les populations vieillissantes voient généralement des mémés débordantes d'amour à offrir sécher devant des pépés qui, plutôt que d'entretenir une saine demande, sont tout simplement passés à autre chose pour cause de libido éteinte. Parce qu'il n'y a pas de rencontre entre une offre et une demande, aucun prix n'est établi : aucune transaction n'a lieu. D'un point de vue moins froidement économique, plus humain, deux solitudes se côtoient sans jamais se rencontrer.

Entre ces deux extrêmes, peut-être une minorité de femmes et d'hommes arrivent-ils à trouver parfaite chaussure à leur pied sur le marché de l'amour. Laissons ces gens heureux savourer leur bonheur en paix et penchons-nous plutôt sur le cas des autres, des insatisfaits – ils ont facilement de quoi nous occuper, innombrables qu'ils sont.

Avant d'aller plus loin, une importante mise au point s'impose. Il y aurait des tomes à commettre sur les insatisfactions amoureuses et sexuelles des femmes, mais j'y renonce d'emblée. Pour des raisons qui ont plus à voir avec la biologie et l'anatomie qu'avec la culturation, les membres de la race adorée des femmes ont des besoins trop différents de ceux des hommes pour qu'on les traite ensemble, pour qu'on les mette dans le même panier. Je laisse ça à plus compétent(e)s.

C'est dire que nous ne parlerons pas ici des femmes qui payent pour se faire aimer. Sur le continent africain, certains endroits ont la réputation d'attirer les Occidentales vieillissantes tel le miel les mouches. Quand elles veulent s'envoyer en l'air avec de beaux jeunes hommes bien musculeux comme elles ne pourraient jamais en harponner chez elle, ces femmes que les initiés appellent des Marie-Claire descendent sur Banjul, en Gambie, ou sur Hammamet, en Tunisie. Le Maroc fait également le bonheur momentané de plusieurs esseulées.

Les Nord-Américaines, de leur côté, s'envoleront plutôt vers Cuba et la

République dominicaine pour se livrer à ces cures intimes de rajeunissement. Grand bien leur en fasse!

Chez l'espèce humaine, la sexualité est sans contredit l'une des dimensions les plus riches et les plus complexes des individus. De la même manière qu'il n'y a pas deux visages qui soient parfaitement identiques ni deux personnalités qui soient interchangeables, chaque être humain développe au cours de son existence une sexualité unique, des penchants qui lui sont propres.

Des gestes qui, au départ, obéissaient à un rituel simple et prévisible, se voient aujourd'hui variés à l'infini. Nous sommes lentement passés de la copulation qui assure la pérennité de la communauté, à une quasi-science érotique qui vise à l'épanouissement amoureux intégral. Il n'est plus suffisant de venir, que l'acte sexuel aboutisse, encore faut-il jouir avec créativité, dans les règles de l'art.

Pour un homme, être un bon amant est aussi important que d'être en mesure de bien gagner sa croûte et celle de ses enfants. De son côté, la femme qui n'est pas capable d'orgasmes à répétition est presque considérée comme une handicapée.

Dans une petite collectivité, là où le choix des partenaires est restreint, les pulsions sexuelles de l'homme n'ont pas le choix : elles sont canalisées vers les voisines. Tant mieux si elles sont sexy; si ce n'est pas le cas, faute de choix on fera avec. (Rares sont les hommes qui déménagent afin d'élargir leur éventail de partenaires potentiels. Par contre, de plus en plus nombreux sont ceux qui n'hésitent pas à sauter dans un avion pour atteindre temporairement ce résultat.)

C'est lorsque les rencontres se multiplient, que les possibilités de «vivre autre chose» augmentent, que les choses se complexifient. Quand les déplacements physiques deviennent plus faciles et que les moyens de communications permettent de mesurer la richesse de la palette des variantes possibles, les choses s'embrouillent vraiment. Et on ne parle ici que des variations d'apparence physique. Ajoutez à cela la prise de conscience d'une immense panoplie des jeux érotiques possibles et l'esprit vacille.

Le gars moyen en attrape le tournis. S'il porte différents fruits à sa bouche, il risque fort de se perdre: une fois qu'il aura mordu dans quelques chairs fraîches et inédites, il lui sera bien difficile de se convaincre que dans les choses de l'amour, tout commence et finit avec une seule femme, fût-elle sa légitime. On aura compris que l'homme né curieux de tout, lui, est condamné d'avance à une quête perpétuelle.

Si notre homme (appelons-le Roger) est un artiste de renom, un gratteux de guitare doué ou une vedette de cinéma, il pourra croquer plusieurs fruits différents sans que personne ne s'en formalise – nous supposons qu'il est célibataire. Idem s'il est particulièrement bel homme. Homme au pouvoir de séduction élevé, Roger n'a qu'à courtiser minimalement ces femmes pour en explorer et déguster les attrayants contours. Quand il lui prend l'envie de se mettre, pour employer une expression aussi explicite que populaire, il consulte le répertoire de son téléphone portable.

Si, au contraire, notre homme (appelons-le Réal) est plutôt moche et si le seul élément qui le distingue est le fait qu'il a réussi à convaincre sa maman – chez qui il habite – de s'abonner à trois cents canaux de télévision en plus de l'Internet, les fruits différents auront des noms (empruntés) de prostituées et leur consommation lui laissera toujours un arrière-goût de mal-être au fond du cœur.

Après chaque rencontre avec une putain – rencontre jamais vraiment satisfaisante parce que nécessairement superficielle –, Réal se jurera que c'est la dernière fois qu'il paye (toujours relativement cher) pour une dose d'amour et il se réinscrira pour la énième fois à une agence de rencontre par Internet… Jusqu'à sa prochaine envie irrépressible de tirer un coup, de se mettre. Parce que, vous dirait-il si vous lui posiez la question, ce n'est pas parce qu'on n'a pas la tête de George Clooney qu'on n'a pas envie de baiser de temps à autre.

Toute la misère sexuelle du monde, une misère d'une infinie variété, se trouve entre ces deux cas extrêmes. Cette misère d'une profondeur insondable, seul les filles de joie peuvent la soulager. Qu'elles en soient louées! Qu'elles soient donc soutenues, encouragées et protégées!

Dans un monde idéal, des couples parfaitement assortis se formeraient dès l'adolescence. Mariés, nos tourtereaux s'exploreraient l'un l'autre et se découvriraient des goûts communs ou complémentaires. Au fil des années, ces époux vivraient ensemble leurs envies sans aucune frustration. Les fantasmes qui naîtraient dans chacun de leurs deux esprits auraient toujours les mêmes protagonistes : eux-mêmes, en couple.

Quand, par exemple, Roméo serait assailli par des images de gros bleuets bien mûrs émergeant lentement d'une vulve juteuse, il reconnaîtrait tout de suite le sexe de Juliette. (Ce serait facile : c'est le seul qu'il aurait jamais vu.) Lorsque Juliette rêvera tout éveillée qu'elle ose suivre un beau cavalier aux larges épaules vers son grand château aux tours élancées planté au sommet de la colline qui dominait son village natal, en se retournant ce noble sire se révélera n'être nul autre que son bon vieux Roméo.

Si nous vivions dans un tel univers, les magasines féminins feraient faillite, la presse *People* aurait vécu, et les courtisanes de la Terre n'auraient plus qu'à descendre de leurs chaussures à talons aiguilles pour apprendre un « vrai » métier.

Comme ces trois activités économiques prospèrent pourrait-on dire outrageusement, nous devons en conclure que ce monde idéal n'existe que dans notre imagination. La plupart des Juliette du monde réel dans lequel on évolue ont épousé un gars qui était plus le moins mauvais candidat que l'homme parfait, tandis que notre Roméo à nous ne peut empêcher son esprit de dériver vers la maison des voisins d'en face, là où habite cette petite vraie blonde aux airs de minaudeuse effarouchée, chaque fois que sa légitime vieillissante retarde trop à rajeunir sa teinture à cheveux jaune carotte, ou qu'elle re-rejure ses grands dieux que c'est demain qu'elle va entamer cette diète miraculeuse au jus de radis qui – ils l'ont dit à la télé – va lui redonner sa taille de jeune fiancée en moins de six petites semaines.

Un bon détecteur de mensonges nous confirmerait que, quoi qu'ils puissent en dire, la plupart des gens sont loin de nager dans l'épanouissement total, ni émotif ni sexuel. Pourquoi ne changent-ils pas leur vie, alors? Le plus souvent, parce que ce serait trop compliqué... et que ça risquerait fort de leur coûter cher en frais judiciaires et en pensions alimentaires. Sans compter que la vie à deux, ou encore en famille unie, elle, permet de faire des économies d'échelle substantielles.

Que font-ils de leurs fantasmes, alors? Ça dépend des individus. Je dirais qu'une majorité de personnes ont décidé une fois pour toutes que les fantasmes devaient rester ce qu'ils sont : des fantasmes, quitte à ce que l'imagination lubrique les utilise en cas de besoin. Juliette pensera très fort à l'adorable George (Clooney, encore lui) en offrant une pipe hebdomadaire à son bedonnant de Roméo; Roméo fera défiler des films mentaux de la petite voisine d'en face dans la pénombre de la chambre à coucher quand, d'habitude au petit matin, une grosse bandaison se fraiera un chemin dans les moult plis et replis adipeux de sa digne épouse.

D'autres, très probablement une minorité d'individus, ont besoin de vivre leurs fantasmes. Si tel est son cas, Juliette est mal barrée : étant donné que ce n'est pas de sitôt que le beau George sonnera à sa porte pour l'inviter à partager un Nespresso avec lui, la seule solution de cette maîtresse de maison par ailleurs exemplaire consiste à se procurer un magnifique godemiché électrique et à y coller – ou, pour celles qui ont certains talents, à y dessiner – le profil de l'acteur dans toute sa vibrante splendeur. Piètre ersatz, direz-vous, mais mathématiquement infiniment mieux que rien pantoute.

Roméo est plus chanceux. Parce que son commerce de camions usagés l'amène souvent à Montréal, il a trouvé une solution par ailleurs impensable dans son petit Matane, l'une de ces charmantes petites villes où tout le monde se connaît – au grand dam de ceux de ses résidents qui veulent vivre un autre chose un tant soit peu discret.

Son scénario salace qui le met en scène avec la petite blonde d'en face est très précis et toujours le même. Profitant d'une absence de ses parents, il se rend chez elle pour une supposée vérification de leur système WiFi. Quand la délicieuse adolescente pose sur son épaule d'homme mûr sa délicate menotte en lui demandant des précisions techniques bidons, Roméo l'attrape par la taille sans rien dire, la retourne telle une crêpe en la faisant basculer sur ses genoux, relève prestement sa jupe trop courte, descend malhabilement sa petite culotte tout en la flairant à pleines narines au passage et, lui immobilisant les deux bras derrière le dos, il se met en frais de lui administrer une fessée à mains nues comme toutes les minaudeuses qui le narguent en méritent largement. (C'est du moins ce que son fantasme raconte.)

Quand son popotin bien rond et arrogant de fraîcheur pulpeuse – un véritable générateur de concupiscence – est rougi à point, il baisse sa braguette et il enfile la petite voisine en levrette sans même prendre le temps d'enlever son pantalon.

Les lectrices et lecteurs éveillés auront compris qu'il est impossible à Roméo de Matane de vivre ce fantasme légitime – lequel loge à plus d'enseignes que dans la seule tête de l'auteur de ces pages.

Nous avons vu plus haut que Roméo est chanceux que son territoire géographique ne se limite pas à sa petite ville de province. Sa solution est la suivante : il a déniché dans les petites annonces d'un journal anglophone montréalais une prostituée qui a tout de suite accepté de faire semblant, de jouer le rôle de la petite garce de voisine d'en face dans un psychodrame au déroulement et au dénouement connus. Ce dénouement est toujours semblable : Roméo jouit comme un verrat en grognant que la prochaine fois il la fessera encore plus fort, peut-être même en utilisant son beau ceinturon italien.

En homme astucieux et pragmatique, Roméo fait appel aux services d'une professionnelle pour pallier à une impossibilité de vivre son fantasme sexuel préféré : cette fable surgie de son subconscient qui lui donne ses plus belles érections, ses moments oniriques les plus intenses. Il y a les incontournables déboursés – les rares filles qui acceptent de recevoir la fessée demandant un supplément qui double facilement la facture (environ cinq dollars la frappe, le double avec le ceinturon de cuir patiné) –, mais notre homme passe ça aux profits et pertes de la comptabilité parallèle de son entreprise.

Aussi, il y a le fait que la pute *cum* comédienne ressemble autant à la petite voisine blonde au cul pulpeux que ma belle-sœur à Nicole Kidman; mais étant donné que la Kidman est en tournage ces temps-ci… et que, de toute façon, l'actrice australienne commence à prendre de l'âge…

Petit problème, un vrai celui-là : l'épée tranchante de la justice pend au-dessus de la tête de Roméo et de celle de sa «soignante». Le jour où les flics d'une escouade de la moralité débarqueront chez la demoiselle au mauvais moment, Roméo aura de longues et tortueuses explications à fournir à sa Juliette, la mère de ses trois beaux enfants.

Quant à la fille qui lui donnait un plaisir unique sur une base hebdomadaire, ses émoluments de plusieurs prestations migreront vite fait de son mini sac à main vers le gros portefeuille griffé d'un avocat, l'un de ces disciples de Thémis toujours friands de beaux billets bruns.

La Grande Histoire ne dit pas si la déesse aux yeux bandés a également le nez bouché ou si, au contraire, elle est sensible aux émanations à la fois nauséabondes et envoûtantes de l'argent.

La Croix Blanche

Si nos protagonistes étaient suisses, ils n'auraient aucun souci à se faire au sujet de la police. Dans ce pays prospère et heureux – son PIB (Produit Intérieur Brut) per capita et son IDH (Indice de Développement Humain) sont parmi les plus élevés au monde –, la prostitution est tout simplement légale. Oui, légale et régulée! Et tant pis pour les avocats des deux côtés du prétoire : ces sangsues sont condamnées à s'occuper à mousser d'autres litiges.

Pendant que la flicaille du Canada et de la plupart des pays du monde fait la chasse aux travailleuses du sexe et à leurs clients, les différentes Brigades des mœurs de la Confédération helvétique s'assurent que les filles sont en règle auprès des autorités de l'immigration et, surtout, visent à ce qu'aucune d'entre elles ne soit victime de violence physique ou psychologique. Cette violence prend surtout la forme de souteneurs qui essaient de se rendre indispensables auprès des prostituées en s'inventant des rôles de protection pour mieux ponctionner les gains de ces travailleuses. Dieu merci ces parasites n'ont pas la partie facile, car quelle péripatéticienne opérant en Suisse sentirait le besoin de se faire protéger quand la police officielle le fait si bien?

En effet, le client qui aurait la mauvaise idée de faire le petit malin se retrouvera embarqué vite fait par les agents de la paix. C'est donc lui qui devra s'expliquer devant le juge – ici comme ailleurs, l'assistance d'un avocat spécialisé est fortement recommandée –, plutôt que la femme qui exerce honorablement son métier, le plus vieux…

Dans ce pays où j'ai eu l'immense bonheur de vivre pendant trois ans, on trouve même de véritables lupanars, appelés «salons» – à elle seule, la ville de Lausanne en compte une bonne soixantaine abritant chacun de deux à 15 professionnelles. Dans ces établissements réglementés et contrôlés sur une base régulière par les policiers, les filles de joie travaillent en toute sécurité. La tenancière ou le tenancier veille au grain : parce qu'ils opèrent comme n'importe quel commerce, ces entrepreneurs d'un genre particulier ne veulent pas d'histoires. Ce ne serait bon ni pour leur réputation ni pour leur chiffre d'affaires.

Pour la petite histoire, rappelons que c'est dans l'un de ces établissements des plaisirs interdits dans son pays à lui, un salon ayant pignon sur rue dans le canton de Zurich, qu'un célèbre financier québécois et quelques-uns de ses comparses allaient s'envoyer en l'air de temps à autre. C'est un peu loin pour aller décharger ses batteries, direz-vous, mais on postule que ces fraudeurs qui savaient compter en avaient amplement pour leur argent.

À Zurich ville, même les racoleuses indépendantes ont l'obligation de s'inscrire auprès des services compétents. De plus, elles doivent défrayer un émolument forfaitaire de 40 francs suisses par année, s'assurer contre la maladie, et payer une taxe journalière de cinq francs la nuit pour l'utilisation du bout de trottoir qui leur est assigné. Pour s'assurer que ces conditions sont bel et bien remplies, une douzaine de personnes sont affectées aux contrôles – cela en plus de la police.

Depuis peu, la métropole des Helvètes se surpasse elle-même : elle a installé des *sex boxes* dans une zone industrielle désaffectée où les prostituées peuvent recevoir leurs clients motorisés potentiels. Ces véritables drive-in du sexe payé sont supervisés par des fonctionnaires municipaux et les alcôves sont munies de sonnettes d'alarme reliées à la police en cas de comportement menaçant de la part d'un chaland. En outre, les péripatéticiennes y ont accès à une travailleuse sociale, à des conseils médicaux et à des cours de langue allemande. Qui dit mieux?

Dans ce contexte régulé et étroitement surveillé, on imagine mal un tueur en série passant au moulin à viande 49 travailleuses du sexe pour en nourrir ses porcs, comme cela s'est produit dans la région de Vancouver dans les années quatre-vingts et quatre-vingt-dix. À mon sens, le fait que cette innommable tragédie n'ait pas suffi à faire amender illico les lois hypocrites du Canada élargit la culpabilité de ces meurtres immondes à l'ensemble de la population votante. Pendant que la Suisse protège ses femmes – toutes ses femmes –, le Canada laisse massacrer ses plus vulnérables. Honte!

Dans la contrée des banques discrètes, des traders de tout ce qui s'échangent, de l'électromécanique de pointe, des transports publics parfaitement intégrés, des vertes vallées et des montagnes enneigées, des vaches de toutes les couleurs, des demeures à l'architecture originale et construites pour durer un siècle, dans le pays où l'ultra-moderne côtoie le bucolique, dans la terre de refuge de tant de grandes fortunes, dans la Suisse modèle de démocratie, les femmes et les hommes qui ont besoin de services sexuels rendus sans honte et en toute légalité sont au paradis.

Il leur suffit d'ouvrir le bon site Internet ou la rubrique spécialisée d'un journal populaire pour consulter les offres, classées par cantons tel qu'il se doit. Suivent quelques exemples glanés dans la région romande du pays à la croix blanche.

« Michèle, Bretonne d'origine aux yeux bleus de 35 ans dotée de superbes *labia minorae* pendouillantes (un phénomène qu'il faut voir pour le croire), reçoit les jours de semaine dès midi et jusqu'à 23 heures. Pour 100 francs, les amateurs peuvent se délecter de leur fruit onctueux préféré pendant une heure bien remplie. Prière de prendre rendez-vous par téléphone avant de vous rendre au festin, lequel est servi au 144, rue des Alpes Bernoises, appartement 13, Fribourg.

Marie, 21 ans, authentique Suissesse aux fesses pourtant cambrées à l'africaine, offre ses magnifiques atouts à l'appréciation de ces messieurs dames. Seniors bienvenus. Travaille tous les jours sauf les lundis. 80 francs/40 minutes. Adresse : 17 avenue du Lac, Genève. Prière d'entrer par la cour et de sonner à l'appartement 3.

Bonne nouvelle : Huguette est de retour à Nyon. Après un séjour de rajeunissement au Brésil, ceux qui avaient eu la chance de la sodomiser à quatre pattes peuvent se réjouir : la transsexuelle qui a toujours pu se targuer de pouvoir faire jouir un monsieur en moins de trois minutes vous revient. Si son savoir-faire a encore augmenté, ses prix sont demeurés raisonnables. Nouvelle adresse : 25 impasse de l'Église. Notez que pour éviter une attente au boudoir, il est conseillé de réserver par téléphone.

Madame n'est pas satisfaite? Monsieur n'a plus la vigueur de sa jeunesse? Qu'à cela ne tienne! Bruno, jeune black monstrueusement membré se fera un plaisir de monter madame, cela avec ou sans la présence de son conjoint. Sur simple coup de fil, Bruno se pointera discrètement à votre hôtel ou votre domicile. Aucun engagement de votre part avant d'avoir vu la marchandise. Rétribution selon la prestation demandée. Composer le +41– 22-29-7781.

Vous avez l'impression d'avoir tout vu, d'avoir tout essayé? Cela ne peut pas être le cas si vous n'avez jamais goûté Geneviève, une magnifique *shemale* [hermaphrodite] que la Nature a pourtant lotie d'un appareil mâle pleine grandeur.

Le jouet idéal pour couple blasé. Visites à domicile seulement. 150 francs la prestation. Ne dessert que le canton de Vaud.

Neuchâtel. Monsieur mérite une bonne correction? Il rêve d'une dominatrice sévère pour compléter son dressage? Quelques bons coups de fouet sur les miches et le dos lui replaceraient les idées? Maîtresse Krista dispose d'une panoplie d'instruments – dont une magnifique chaise à enculer – qui viendront à bout des plus indisciplinés. Ne reçoit que les week-ends. Prestation minimale de 135 francs.

Monika, grande blonde filiforme slovène de 19 ans qui n'en parait pas 16, vous offre ses services pour jouer à la jeune garce capable de torturer sensuellement les vicieux de tous âges… avant de les soulager momentanément et intégralement. Moyennant léger supplément, madame peut assister à la séance. Visites à domicile, le jour seulement.

Vous avez toujours fantasmé de faire un doublé avec une mère et sa fille? Vivez votre rêve en vous rendant dans l'accueillante masure de madame

Gagnon, à Bienne. Deuxième rue, très arborée, à gauche en sortant de la gare; sonnez sans ambages au numéro septante-trois. Madame et Mélanie ont hâte de vous recevoir. »

En conclusion, désolé pour les mal renseignés et les pudibonds qui croyaient que la confédération helvétique, le pays pentalingue – si l'on compte l'anglais, en passe de devenir la véritable lingua franca de ces montagnards pragmatiques – qui abrite le Comité international olympique et où plusieurs membres de la grande famille onusienne ont installé leurs sièges, n'avait rien de mieux à offrir aux sensualistes de tous les genres que des capsules de café Nespresso et du chocolat noir Lindt (par ailleurs de purs délices).

Malgré son non-conformisme, la Suisse – sans conteste l'idéal mondial de la démocratie directe – n'est pas le seul pays européen à entretenir des relations honnêtes et réalistes, non crispées, avec la prostitution. L'accompagnent dans le peloton des terres d'avant-garde : l'Allemagne, les Pays-Bas, l'Autriche et la Grèce sont autant de contrées où les prostituées jouissent d'un statut légal et, par conséquent, sont mieux protégées.

Dans les nations latines, dont la France, la situation est plus ambiguë : la prostitution est autorisée, les filles de joie soumises à l'impôt sur le revenu, mais le racolage et le proxénétisme sont interdits. C'est ce que nous appellerons le « modèle (hypocrite) français ».

En Suède, en Norvège et en Islande, les clients sont punis par la loi, mais pas les putes. Cette bizarrerie légale s'explique sans doute par le féminisme à gogo qui triomphe sur la majeure partie de la Scandinavie.

En Europe de l'Est, la prostitution est illicite presque partout. La Finlande, la Bulgarie, la Pologne, la Tchéquie et la Slovaquie tolèrent, mais avec interdiction absolue des maisons closes. La Hongrie et la Lettonie permettent, mais avec règlementations.

Aux antipodes géographiques, la Nouvelle-Zélande et certains États de l'est de l'Australie – deux territoires de colonisation européenne relativement récente – ont également renfermé dans sa boîte sertie de tartufferies le vieux démon judéo-chrétien.

Si nous poursuivons sur notre lancée, voici comment se présente, en gros, le reste du monde au regard de la situation juridique de la prostitution.

Afrique. Illégale partout, sauf quelques pays comme la Côte-d'Ivoire, le Burkina Faso, l'Éthiopie, la Namibie et Madagascar, où seules les activités d'organisation de ce commerce singulier sont sanctionnées. (C'est le modèle français.)

Amérique du Sud. Le modèle français au Brésil, en Argentine et au Chili; le «modèle suisse» à peu près partout ailleurs.

Amérique du Nord. Aux États-unis, la prostitution est illégale – et durement réprimée – partout, à l'exception remarquable de certains comtés ruraux du Nevada. Au Canada, c'est la variante pudibonde du modèle hypocrite français qui enrichit les avocats de tous bords.

Asie. Illégale d'un bout à l'autre de cet immense continent, à l'exception des pays suivants : le modèle français en Turquie, au Kazakhstan et en Inde; le modèle suisse à Singapour, à Taiwan et – attachez vos ceintures – au Bengladesh (depuis l'année 2000).

Ça, c'est la théorie, la théorie légale. En réalité, les call-girls moscovites s'arrangent facilement avec la *милиция* [milice, police], les séduisantes Peulottes de Bamako savent racoler d'un subtil roulement des hanches et le sex-appeal des *professionals* de Rio exulte au grand jour, alors qu'à l'échelle planétaire les *girl friends* temporaires de Bangkok offrent le meilleur rapport qualité-prix en toute impunité.

En définitive, dans le domaine du sexe rétribué comme dans d'autres, les citoyens des pays ne relevant pas du modèle suisse courent d'autant moins de risques que s'ils savent voyager, ou que leurs portefeuilles sont épais. En effet, sous toutes latitudes confondues, les machines de répression trouvent beaucoup plus facile de matraquer les filles qui font littéralement le trottoir que celles qui pratiquent leur art dans le satin immaculé des alcôves de palaces.

Le grand malaise

Quoique ses apologistes comme le signataire puissent en dire, l'acte de prostitution demeure malaisé pour l'immense majorité des gens. Ce malaise découle probablement du fait que depuis l'époque romantique (XVIIIe siècle), l'exercice de la sexualité est vu comme l'aboutissement, la consécration du sentiment amoureux. On couche ensemble parce qu'on s'aime, la reproduction qui en découle étant le fruit de la conjonction de ces nobles sentiments et de la copulation.

Les pulsions sexuelles, une forme d'énergie brute parfois considérée comme l'héritage encombrant d'une nature bestiale qui n'en finit pas de s'étioler au profit d'une dimension humaine grandissante, il faut les sublimer en attendant de pouvoir enfin les canaliser vers l'union totale, la fusion avec la personne aimée. Brider sa sexualité s'inscrit dans la longue et difficile marche vers la construction d'un être totalement humain, un être qui se sera délesté des derniers reliquats de son côté animal.

Le but final de ce périlleux exercice? Dépasser la Nature et sa nature pour accéder à la source de toute vie : le divin. Pour le moins ambitieux, mais qui pourrait nier que ce défi qu'il s'est donné représente justement ce qui définit l'homme? Cette poussée vers le divin – un élan pourtant considéré par plusieurs comme parfaitement futile, sinon carrément prétentieux – apparaît comme capable de mobiliser parmi les plus grands esprits.

Ainsi formé culturellement et équipé mentalement, il devient bien difficile de dissocier l'amour et le sexe, l'état amoureux et l'activité lubrique. L'idéal vers lequel nous tendons tous, c'est la synchronisation entre l'éveil du sentiment amoureux et l'envie de s'unir corporellement à la personne aimée. Preuve de cela, c'est que normalement une femme véritablement amoureuse se fermera physiquement à tous les autres hommes. Elle ne s'ouvrira qu'à celui à qui elle a donné son cœur.

Au plan biologique, le pendant de ce remarquable phénomène émotionnel est le fait que l'ovule deviendra chimiquement impénétrable aux concurrents dès qu'il aura été investi par un premier spermatozoïde, l'heureux élu. Les millions qui sont arrivés en retard sont condamnés à disparaître sans laisser de trace.

Cette quête légitime de l'harmonisation entre les deux plans émotif et sexuel, on la retrouve également chez le mâle, mais dans une moindre mesure.

Lorsque l'inadéquation entre les plans émotif et charnel va dans le sens du désir du cœur sans le désir du corps – l'amour platonique –, on pourrait dire qu'il y a idéalisation de l'autre sans consommation. Si cette relation platonique est partagée et si aucun des membres n'aspire à plus, on ne voit pas comment elle poserait problème.

Pourquoi, alors, l'inverse – la satisfaction du corps sans la participation du cœur – crée-t-il un profond malaise chez la plupart des gens? Et surtout lorsque c'est la femme qui se prostitue, ce qui recouvre l'immense majorité des cas?

J'opinerai que ce malaise vient du fait que la pratique de la sexualité n'est pas banale, loin s'en faut. On imagine difficilement une personne aller au lit de la même manière qu'elle livre un discours ou qu'elle explique le fonctionnement d'une nouvelle cafetière. De toutes les formes de communications, le contact sexuel est, et de loin, la plus intime. Une femme, surtout, en se déshabillant, étale ses attributs. Si elle accepte de « se donner », de « se laisser prendre » (deux expressions classiques), elle consent à offrir la quintessence de son intimité à son partenaire – ou, plus à propos pour notre sujet, à son client.

Si « faire la chose » n'est pas aussi engageant pour l'homme, c'est probable-ment parce que ce dernier promène son appareil génital entre ses jambes, à l'air libre. Quand il baisse son pantalon pour exhiber son machin au repos, il serait exa-géré de parler de révélation. C'est plus à l'usage que son caractère se révélera.

La femme, en contraste, garde la plus grande partie de son mystère gynécologique même une fois entièrement nue. Lorsque son partenaire aperçoit enfin sa chatte, il ne voit qu'une touffe de poils plus ou moins fournie et habituellement plus foncée que la chevelure de la créature convoitée.

À ce chapitre, le voyageur un tantinet investigateur aura remarqué tout de suite que si les poils pubiens de la Caucasienne sont frisottés, ils seront plutôt droits chez une Extrême-Asiatique et carrément crépus chez une Africaine.

Le secret du minou ne sera complètement révélé qu'à l'issue de longues séances que nous qualifierons d'intimement exploratoires, pour ne pas dire relevant de l'examen gynécologique approfondi; et encore, car il ne faudrait surtout pas croire que les mœurs sexuelles sont toutes les mêmes à travers la Planète.

Par exemple, lors d'un séjour en Polynésie, je me souviens avoir rencontré des Tahitiens qui avaient surnommé les

Français de la métropole : « Les bouffeurs de cons. » (Difficile d'être plus clair.)

Enfin, n'oublions pas que pour bon nombre de cultures, le voile supplémentaire que représente l'hymen a une immense valeur symbolique : c'est le cerbère de dernière ligne d'une matrice de reproduction de la communauté, un gardien qui ne servira qu'une seule fois. Bien malaisé, dans ces conditions, de surestimer sa valeur.

En définitive, en se prostituant physiquement une femme détourne le rôle de sa matrice; elle triche avec la vie. Cette femme utilise à des fins strictement vénales un organe (faute d'un meilleur terme) dont la divine complexité renvoie au mystère de la vie, justement. On aura beau hurler sur les toits le slogan fallacieux qui voudrait que le corps de la femme n'appartienne qu'à elle, il est difficile pour la société au sein de laquelle elle vit d'applaudir la putain, ou encore de l'offrir en modèle à ses filles.

Filles ou sœurs, bien peu d'hommes se réjouiraient de compter des prostituées dans leur famille, que ces hommes fréquentent ou pas les maisons de débauche ou leurs équivalents. Le bordel idéal abrite des filles qui ne ressemblent pas à nos sœurs, qui n'ont rien à voir avec ces dernières.

Au cours d'échanges animés sur le sujet délicat de la légalisation de la prostitution, combien de fois entend-on des gars autrement censés asséner ce qu'ils croient être l'argument massue capable de vous clore le bec : «Je suis contre la légalisation de cette activité parce que je n'admettrais pas que ma fille devienne une pute.»

Fort bien! Moi non plus, mais où est le rapport? Personnellement, je méprise les loteries gouvernementales pour la bonne raison que ces jeux de hasard constituent des taxes, certes volontaires, mais généralement régressives parce qu'elles ponctionnent les segments les moins informés et les moins nantis de la population. Est-ce une raison pour les rendre illégales à nouveau? Les mafias ne demanderaient pas mieux. Idem pour le tabagisme et la malbouffe, deux sales habitudes qui tuent – à petit feu – infiniment plus de gens que la prostitution.

Tant qu'à y être, pourquoi ne pas plonger tête première dans l'absurde et lâcher les flics sur le tatouage permanent, le piercing mutilant et le bronzage exagéré?

J'ai toujours trouvé navrant que mon ancien patron à Radio-Canada dilapide son fonds de pension dans la vaine recherche de la formule magique qui battra les roulettes à deux zéros du Casino de l'Île Notre-Dame. Sa maison – tout de même son patrimoine familial – va finir par y passer. Immoral! Également, deux de mes frères fument, ce qui est bêtement suicidaire; un autre creuse allègrement sa fosse avec sa fourchette. Tôt ou tard les contribuables devront payer pour eux. Immoral! Est-ce une raison pour qu'on les jette tous les trois dans une cellule avec le retraité de la télévision d'État?

Si l'on se met à criminaliser la bêtise et l'immoralité, les prisons vont vite déborder… et les juristes de tous bords vont racheter les banques en les payant cash.

En somme, l'acte de prostitution est probablement immoral. Est-il criminel, avec de vraies victimes en chair et en os? Certainement pas!

Le vrai choix qui s'offre au père aimant dont la fille se prostitue est simple : ou bien il milite pour que la société et sa machine judiciaire la laissent tranquille et pour que la police protège sa cadette comme elle protège tout le monde (y compris les fabricants de cigarettes et les revendeurs de billets de loterie), ou bien il défend le statu quo qui veut que la société s'entête à criminaliser son travail. Les conséquences de ce statu quo crèvent les yeux : la Machine s'abat sur sa fille, et ses agents directs et indirects (policiers, procureurs, juges, avocats-sangsues, gardiens de prison, agents de probation, etc.) s'affairent à parasiter le plus légalement du monde le fruit des labeurs de la jeune péripatéticienne.

Notons que le fait que le «crime» de prostitution ne fasse aucune victime n'empêche pas ce cirque macabre de continuer de tourner à plein régime. Notons également que le fait que ce soit les activités de répression de la Machine qui fabriquent des victimes à tour de bras – au rythme infernal des portes tourniquets des Palais de justice – n'empêche pas les bonnes gens de dormir.

Si au moins on pouvait se convaincre que cet énorme scandale crée un certain malaise, un tout petit malaise…

Plusieurs tombent en amour

En fait, nous aspirons tellement à l'harmonisation entre la complicité des cœurs et la satisfaction des corps qu'il arrive que des liens de nature sentimentale commencent à se tisser entre la praticienne et son patient. Ce qui n'est pas si surprenant, compte tenu que par définition les rapports sexuels correspondent au summum de l'intimité.

Les hommes ne sont pas que des animaux; les femmes non plus. Les prostituées vous le diront, la plupart de leurs clients essayent d'engager la conversation avec elles. Ce n'est pas parce qu'ils payent pour ses services sexuels qu'ils ne veulent pas connaître la femme qui les rend. Ils demandent toujours son nom à la pute, même s'ils se doutent bien que la réponse sera une pure invention de circonstance. Les clients veulent baiser avec une personne humaine, pas avec un tas de chair parfaitement anonyme.

Ils veulent savoir d'où vient la pute, si elle exerce cette profession depuis longtemps, si elle a souvent affaire à des *Johns* antipathiques ou détestables, ce qui l'a fait se lancer dans cette carrière singulière, quand elle a l'intention d'arrêter... Ils veulent connaître son âge, son degré d'éducation, sa religion... Quelques-uns voudront connaître ses goûts musicaux ou savoir ce qui l'excite sexuellement.

Le client civilisé veut établir un rapport humain.

Mon copain Louis, un gars bien élevé s'il en est, me raconte que lorsque ses affaires l'emmènent à Toronto ou ailleurs, il ne fait jamais monter une call-girl à sa chambre d'hôtel sans avoir fait rafraîchir une bonne bouteille de Chablis en guise de bienvenue. Ce faisant, il s'attend à ce que la fille le traite pour ce qu'il est : un homme aussi respectable que respectueux; autrement dit, autre chose que le porteur d'une bandaison à soulager presto en échange de quelques gros billets.

De toutes les filles de joie que j'ai connues, celle qui m'a laissé le meilleur souvenir est une charmante étudiante en design industriel qui ne se déshabillait jamais sans avoir reçu un long câlin affectueux. Elle disait s'appeler Sonia et essayer de se libérer d'une relation avec un voyou d'origine haïtienne qui lui tapait une grosse portion de son fric. C'est peut-être le fruit d'une imagination trop généreuse, mais j'ai quelquefois eu l'impression que Sonia mourait d'envie de m'embrasser sur la bouche – le tabou dans ce type de relations. J'aurais été énormément flatté que ce beau brin de fille accepte de sortir avec moi en société.

Une autre de la même ville, mais qui recevait dans son propre appartement, me racontait toujours les dernières péripéties de ses démêlés avec sa famille : une vraie saga. Cette fille, toute menue et bien proportionnée, a exprimé sa reconnaissance que je l'initie aux joies très particulières de la fessée avec l'un de ses propres ceinturons en me concédant des rabais substantiels.

Parlant d'initiation, j'ai toujours pensé que cette fille sensible serait ouverte au monde prodigieux de la musique classique. Si le hasard la mettait sur mon chemin, je me jetterais à genoux devant elle pour qu'elle accepte de partager un latte macchiato et, surtout, qu'elle raconte à son vieux client le dernier épisode de son feuilleton familial. Sa mère s'est-elle libérée de son alcoolisme? Son frérot sidéen vit-il encore? Son cornichon de père a-t-il enfin renoncé à deviner le prochain numéro gagnant de la loterie?… Je me demande si depuis nos derniers échanges de bons procédés elle a entendu parler de Sergueï Rachmaninov…

Une Laotienne du nom de Maie, ma régulière à Vientiane, était belle d'une beauté tellement touchante, tellement subjuguante que je ne la voyais jamais sans l'inviter au restaurant – avant ou après nos ébats –, simplement pour pouvoir me régaler de la vue de son image de femme enfant en attendant nos soupes de nouilles de riz. Ses longs cheveux noirs de jais, ses lèvres naturellement hyper charnues, ses yeux sombres pétillants et légèrement bridés, ses petites mains juvéniles qui battaient continuellement la mesure d'une gracieuse danse imaginée, ses pieds menus, ses jambes minces et droites, ses seins de gamine et ses fesses à peine épanouies sous sa jupe traditionnelle colorée, sa peau, finalement, que je savais d'une douceur troublante et partout libre de poils sauf pour une micro chatte éparse et parfaitement circonscrite...

Quand j'étais en compagnie de Miss Maie, j'aurais donné mon bras gauche pour qu'un bon génie m'apprenne les subtilités de la langue lao en dix minutes. S'agissait-il d'admiration, d'infatuation, d'affection, d'amour? Je ne saurais dire... Pourquoi pas un mélange des quatre?

Patricia, une Française au beau gros cul ferme de Négresse qui exerçait sur la fameuse rue Saint-Denis, à Paris, arrivait toujours à me faire parler du Canada, même si ce sujet plat n'arrive généralement à mobiliser qu'un infime bataillon de mes cellules grises. Elle disait hésiter, pour prendre une douce retraite, entre le pays des neiges quasi éternelles et la région d'Hendaye, à la frontière avec le Pays Basque espagnol. J'avais beau lui répéter que je ne comprenais vraiment pas ce dilemme, elle ne tarissait pas de questions pratiques sur une éventuelle installation. Mythe de l'Amérique quand tu nous tiens…

Ah! Cette Patricia au gros cul ferme et à la chatte bien taillée! Si seulement cette putain de fins de matinée avait pu me laisser égorger de mes propres mains le petit pékinois braillard et jaloux qui servait de cerbère à son cœur encore sensible… et à qui elle ne pouvait s'empêcher de livrer des soliloques proto-enfantins pendant qu'elle me prodiguait son inimitable *face sitting* – une opération à couper le souffle… au sens propre au moins autant qu'au figuré.

Ce qui me rappelle que j'attends avec impatience la parution d'un traité exhaustif rédigé par l'un de ces Nouveaux Philosophes de l'Hexagone sur la riche problématique des rapports trempés d'anthropomorphisme compensatoire entre la Française moyenne et son copain quadrupède intégralement poilu – en d'autres termes, sa puante machine à crottes.

Mon ami Benoît, un beau grand gars dont la superbe prestance physique n'a d'égale que la timidité congénitale, est resté accroché. Il y a quelques mois, il s'est payé un week-end dans une somptueuse chambre d'hôtel de Montréal en compagnie d'une escorte de grand standing originaire de Hongrie. C'est à cette occasion qu'il a découvert une chose rarissime sur cette Planète : une touffe naturellement aussi blonde que les blés murs des plaines de ce pays d'Europe Centrale.

Depuis cette révélation d'ordre métaphysique, impossible de prendre une bière avec le grand Benoît sans qu'il ressorte fièrement la photo de sa Hongroise. Je dis «sa», parce que le pauvre vieux ne peut pas prononcer son nom sans un léger trémolo dans la voix et il correspond toujours avec elle par courriel. Pas tout à fait la meilleure façon de se rappeler que la belle a été grassement payée pour faire semblant d'aimer le client Benoît, mais comme le répète si bien la vieille rengaine des Platters, «*When you're in love, smoke gets in your eyes*».

Pierre, un ami d'enfance retrouvé récemment par hasard, me relatait avoir découvert Cuba. Pas en se payant un tout compris de deux semaines dans un *resort* de l'Île à Fidel, mais en rendant visite à Estella, une travailleuse du sexe qui avait placé une petite annonce sur un site Internet spécialisé. La «fleur des îles capable de faire oublier les rigueurs de l'hiver aux hommes de 19 à 99 ans» s'est révélée être une infirmière cubaine métisse qui avait réussi à s'évader du paradis tropical communiste à la faveur d'un stage d'études à l'étranger.

Quand il m'a téléphoné pour me raconter la «rencontre», le pauvre était encore sous le choc. La *mulata* lui avait fourni un traitement tellement efficace, tellement propre à rapprocher le Nord et le Sud, que Pierre va commencer ses cours de castillan la semaine prochaine. Ce qui me semble un peu plus grave, c'est qu'il a promis à Estella d'acheter plein de cossins [objets hétéroclites] et de payer leurs frais de transport jusqu'à la famille de la fausse réfugiée. Étant entendu que Pierre n'est pas d'un naturel généreux lorsqu'il s'agit de causes politiques exotiques, j'en déduis qu'il est amoureux. *¡Buena suerte, mi amigo!*

Nous sommes à Ouagadougou, en Afrique de l'Ouest. Paul, un anthropologue qui travaille pour une ONG (Organisation non gouvernementale) à la vocation plus ou moins bidonne, m'invite à prendre une bière dans un bar à putes local. À la fin de la soirée, il repart avec l'une des deux filles qui avaient jeté leur dévolu sur nous avant même que nous ayons eu le temps de nous asseoir et de commander à boire. Le lendemain matin, comme c'est dimanche et que nous vivons sur le continent par excellence du respect des traditions, je passe chez lui pour prendre un petit-déjeuner à la française, c'est-à-dire trop sucré et pas assez nourrissant. Quelle n'est pas ma surprise de retrouver la pute en train de préparer le café! Lisant mon regard interrogateur, l'anthropologue me chuchote à l'oreille de viser la démarche de la fille de joie.

Un court moment plus tard, Paul ajoute : « Ce que tu vois ici ce matin, vieux frère, c'est un homme autrement raisonnable qui s'est réveillé complètement envoûté par le port altier de Jasmina. Et ne me dis pas que cette représentation animée de la féminité exacerbée n'est qu'une putain, car ça m'obligerait à te casser la gueule. » Je suis loin d'être sûr que ce gars soit équipé pour mettre sa menace à exécution, mais sachant que les flèches de Cupidon peuvent décupler les forces de leurs malheureuses cibles, je me contenterai aujourd'hui de siroter tranquillement le bon élixir corsé dilué de lait de chèvre… tout en zyeutant discrètement les courbes chantantes de la belle sorcière en boubou.

Celui qui se fait désormais appeler Don Rodrigo est un exilé du féminisme nord-américain qui a définitivement posé ses pénates en Colombie, sur un continent encore sexué. Ses petits paradis : les salons de massage où il est toujours possible de négocier un « extra » à être livré à sa chambre d'hôtel le lendemain après-midi. Si j'ai bien colligé les données, Rodrigo tombe amoureux de sa *masajista con puta* une fois sur trois. La relation, toujours entamée à la vitesse grand V, ne s'étiole que lorsque les étonnantes difficultés de la situation familiale de la fille ont raison des ardeurs amoureuses du Don. Cela étant dit, Rodrigo, un homme optimiste et tenace s'il en est, a pleinement confiance que la prochaine masseuse sera la bonne… malgré ses deux ou trois marmots de pères aussi différents que volages.

À Saint-Pétersbourg, une agence spécialisée m'avait envoyé une Russo-Ouzbèk portant le pseudonyme éminemment sexy d'Olga. Voyant que je faisais au moins deux fois son âge, cette superbe fille au teint de lait s'est tout de suite assise sur mes genoux pour que je la dévête lentement, en prenant tout mon temps, un peu comme le ferait un oncle sensualiste et encore vert qui a réussi à se débarrasser de son encombrante légitime pour la matinée.

Après l'avoir caressée, auscultée, pelotée et tripotée à mon saoul en enivrant au passage mes narines de ses parfums naturels, j'ai invité la putain à s'installer debout dans la baignoire pour que tonton Francis ait l'indicible plaisir de laver à mains nues, sans l'aide d'un gant de toilette, cette créature à la beauté renversante. En astiquant doucement cette enveloppe diaphane, j'avais la troublante impression d'effleurer le divin!

Une fois ce délicieux devoir accompli, un cunnilingus administré avec autant de tendresse que de ferveur a tôt fait de faire s'écouler de sa petite vulve un élixir blanchâtre à la saveur de miel d'orchidée. Ce goût unique conjugué de petits cris de plaisir aigus nés dans les grandes plaines d'Asie Centrale, ils sont incrustés à jamais dans les synapses de mes mémoires gustative et auditive.

Avant de repartir chez son agence et vers son prochain client, Olga m'a laissé son numéro de portable personnel, «*in order to save the commission*», pour la prochaine fois. Je l'ai rappelée le lendemain à la même heure. Si j'avais plus d'argent – cent vingt euros la visite, ce n'est quand même pas donné – et si l'obtention du visa russe n'était pas si fastidieuse, je sauterais dans le prochain avion pour St-Pete et je téléphonerais à la ravissante Ouzbèk pour qu'elle vienne vite s'asseoir sur mes genoux vieillissants. Elle pourrait y rester aussi longtemps qu'elle le voudrait...

Les putes, elles, tombent-elles seulement en amour avec certains de leurs clients? Le cinéma nous raconte certes d'adorables histoires qui vont dans ce sens, mais j'avoue pour ma part ne pas avoir d'opinion étayée de témoignages crédibles sur cette importante question. Au départ, on ne voit pas comment des filles seraient toujours réfractaires à la naissance de sentiments amoureux, même si le client, justement parce qu'il paye plutôt que de séduire, est difficilement idéalisable. Au final, je parierais ma chemise que les putes méprisent toujours un peu leurs *Johns*.

Malgré cela, nous l'avons rappelé au début de ce chapitre, ni les femmes ni les hommes ne sont de simples animaux. La dissociation du cœur et du corps n'est jamais simple. Normalement, c'est le cœur qui entraîne le corps, mais tout comme les autres règles, celle-là ne peut pas ne pas souffrir d'exceptions.

Toutes et tous conviendront que cette question fondamentale mérite une réponse éclairée par de nombreuses expériences sur le terrain. La recherche doit donc se poursuivre à tous tarifs!

En conséquence, que les volontaires de tous les sexes s'avancent d'un pas décidé en déclinant nom, adresse et profession de façade!

Les putes sont belles

Ne devient pas pute qui veut! D'abord et avant tout, il faut posséder cette qualité aussi facile à reconnaître que difficile à décrire qui s'appelle le sex-appeal. Malgré la difficulté apparente de la tâche, essayons de cerner ce qui fait qu'une fille donnée sera vue comme sexy, autrement dit qu'elle inspirera le désir sexuel, alors qu'une autre laissera froid la plupart des mecs.

Élément incontournable : la beauté physique. Le premier critère de beauté, celui qui fait facilement consensus, est l'harmonie dans les formes générales et la symétrie dans la répartition des membres et des masses. Une femme aura beau promener des jambes élancées et parfaitement bien moulées, si les dimensions de son tronc ne se marient pas à ces cannes d'enfer, c'est fichu.

Le plus beau fessier sur des petites pattes courtes donnera l'impression de traîner par terre. Une grande bouche à la Julia Roberts dans un minois de poupée n'inspirera rien d'autre qu'une véritable terreur de la castration accidentelle. Idem pour d'immenses paluches au bout de petits bras.

Une Chinoise affublée de grands pieds de Bantoue songera sérieusement au suicide. (Elle devrait plutôt immigrer en Afrique, où sa peau satinée lui assurera un succès lion.) À l'inverse, une Africaine plantureuse marchant sur de tout petits pieds se considérera carrément handicapée, car incapable de danser le houba-houba de façon convaincante.

De même, des yeux magnifiques et pétillants de vivacité n'auront aucun effet s'ils sont trop petits ou trop grands. Des épaules un peu trop larges donneront des airs de culturiste égarée à n'importe quelle dame. Un cou un peu long, et la pauvre fille sera condamnée à répéter à qui veut l'entendre que son actrice préférée a toujours été cette beauté originale à la silhouette de cygne qu'était Audrey Hepburn.

Ici, il est difficile de mentionner cette star immortalisée par le grand écran sans rappeler que le film qui a véritablement lancé sa carrière (*Breakfast at Tiffany's*) la campait dans le rôle d'une courtisane moderne (*Café society girl*). Idem pour celle de Julia Roberts dès la sortie de *Pretty Woman*. Dans la même veine, est-il seulement possible d'apercevoir Catherine Deneuve sans la revoir putassant pour son plaisir dans *Belle de Jour*? Quel cinéphile de mon âge n'aurait pas risqué de se faire tuer en duel de .45 magnum pour le cœur meurtri de Claudia Cardinale dans *Il était une fois dans l'Ouest*? Et que dire de Shirley MacLaine, si poignante de réalisme dans *Irma la Douce*? De l'actrice enfant (12 ans) Brooke Shields, dont le dépucelage est mis aux enchères dans *Pretty Baby*? Et ainsi de suite.

Fermons cette parenthèse en gageant que le Congressman américain qui proposerait d'interdire à Hollywood de mettre en scène des prostituées verrait sa carrière politique à lui culbuter vers le niveau de la circonscription rurale en moins de temps qu'il n'en faut à un réalisateur de série B pour crier : « Action! »

L'harmonie, donc! Encore et toujours l'harmonie!

Le critère de symétrie va de soi. Une personne qui boite à cause d'une jambe plus courte que l'autre n'est pas physiquement attirante. Un bras court et l'autre long, et les cirques vous font des offres alléchantes. Un œil beaucoup plus haut que l'autre et on vous engage sur le champ pour le rôle-titre de la prochaine version cinématographique de Frankenstein.

Bien des gens vont tenter de politiser la question des critères de beauté en essayant de nous faire croire que ces derniers nous sont imposés par l'industrie de la mode. Si les choses étaient aussi simples, ce serait merveilleux pour celles et ceux que ces critères désavantagent : ils n'auraient qu'à réécrire ces canons en lançant de nouvelles modes. Qui donc va investir ses économies dans un produit mis de l'avant par un personnage qu'on dirait tout droit sorti d'un film d'horreur?

Il est difficile de mentionner la mode sans remarquer que cette industrie semble noyautée par des individus à la sexualité à tout le moins ambiguë. Comment expliquer autrement que les corps de tant de *top models* se rapprochent plus de l'androgynie que de la féminité ou de la masculinité affirmées? En outre, depuis quand l'anorexie est-elle supposée inspirer l'admiration et l'amour? Drôle de modèle! Fin de la digression.

En tout état de cause, les canons de la beauté au sein d'une société donnée sont à peu près immuables parce qu'ils sont en grande partie affaire de chiffres et de statistiques. Voyons voir.

Tous les étudiants en histoire de l'art ont appris que le nombre magique de l'harmonie des corps humains est le sept. Cette règle est appliquée depuis l'Antiquité pour situer le nombril : quatre en dessous, trois au-dessus. Une allégorie de femme ou d'homme – qu'il s'agisse d'un tableau ou d'une sculpture – qui respecte ces proportions magiques fera paraître le sujet à la fois solidement ancré sur le sol (ou sur un socle) et assez élancé pour être gracieux. L'être ainsi rendu par l'artiste apparaît physiquement équilibré, tout à fait capable de faire le pont entre sa condition terrestre et un au-delà transcendant.

Quand il s'agit de beauté, la notion cruciale de statistique est la bonne moyenne ou, plus précisément, un petit cran au-dessus. Les gens dont les caractères physiques se situent dans la moyenne passent bien partout; ils n'ont pas besoin de s'expliquer; ceux qui les entourent n'ont pas besoin de concocter des raisonnements culpabilisateurs pour les accepter. Schématisons pour simplifier.

Imaginons trois hommes (A, B et C) qui, parce qu'ils briguent un poste politique important, doivent se présenter sur une scène pour débattre de leurs programmes. Les trois personnages sont des clones parfaits, sauf pour leur taille respective : A mesure à peine un mètre et demi, B fait un bon mètre et 75 centimètres, C doit toujours se pencher en entrant quelque part parce qu'il dépasse les embrasures de porte d'une bonne tête. Avant même que nos trois candidats n'ouvrent la bouche, B part avec une grosse longueur d'avance. Parce qu'il correspond à la moyenne des électeurs, ces derniers se reconnaissent en lui : il y a empathie physique. À leurs yeux, A leur semble ridicule et C n'excite la curiosité que des anatomistes.

Personne n'a rien contre les nains ou les géants, mais il n'y a que les autres nains et les autres géants qui les trouvent « normaux ». Cette préférence pour la normalité statistique n'a rien d'un jugement de valeur, elle correspond tout simplement à la facilité, à une certaine paresse intellectuelle. Plus profondément – et le plus souvent de manière inconsciente –, ils voteront pour B pour la simple raison que ce B représente un risque moindre. Parce qu'il leur semble physiquement familier, la longue équation que leur subconscient élabore pour en arriver à prendre une décision qui se veut la plus rationnelle possible comportera une inconnue de moins. C'est toujours ça de pris…

Naturellement, s'il se trouve que B ne parle que le swahili et que nos électeurs n'entendent que le bambara ou le dioula, il est très mal barré : son parti l'a certes parachuté sur le bon continent, mais sur la mauvaise côte. Zut!

Sur ce même continent noir, dans un Hollywood de Masaïs, Brad Pitt serait confiné aux rôles de nabots. Le très talentueux Danny DeVito, lui, se retrouverait à jouer juste en dessous du champ de vision de la caméra.

En fait, de savantes études ont démontré que si l'on fabrique une image composite à partir de celles de tous les individus d'une population donnée, la moyenne ainsi obtenue correspondra à la définition de l'idéal de beauté physique de cette population. C'est la tyrannie esthétique de la moyenne statistique. Dur!

Une étude universitaire menée aux États-Unis en 2009 est allée plus loin dans les nombres. En plus de déterminer que la figure féminine idéale correspondait à la moyenne des faciès, on a pu chiffrer des proportions optimales entre ses différentes parties. Ainsi, pour la distance relative entre les deux yeux, un écart entre les deux pupilles égal à 46% de la largeur oreille à oreille du visage serait le nec plus ultra. La distance entre les yeux et la bouche, elle, est à son optimum lorsqu'elle correspond à 36% de la longueur totale de la face. Difficile d'être plus précis!

Étant donné que l'espèce humaine est sexuée – d'ailleurs au grand dam de beaucoup de gens –, les critères de beauté sont habituellement rattachés au genre. Je dis «habituellement», parce que dans certaines cultures un beau garçon encore impubère sera vu comme aussi sexuellement attirant que sa sœur jumelle. On raconte que ce type de pédérastie était très répandu en Grèce et dans la Rome antique. Notons que dans ces cultures, le critère *número uno* d'attractivité sexuelle était l'absence de pilosité, peut-être la principale qualité physique qui définit la prime jeunesse.

Plus près de nous dans le temps, mais plus loin dans l'espace, plusieurs hommes de pouvoir afghans auraient récemment développé une façon d'utiliser de jeunes garçons mâles comme jouets érotiques. On appellerait ces enfants des Bacha Bazi. Ces mœurs on ne peut plus bizarroïdes sont-elles engendrées par les terrifiants tabous sexuels de l'islam et sa valorisation maladive de la virginité fé-minine? Mystère et boule de gomme…

Cette confusion dans les genres pourrait-elle s'expliquer par le fait que jusqu'à la puberté, l'enfant, parce qu'il n'est pas encore vraiment sexué, peut tenir les deux rôles? Il faudrait poser la question aux nobles européens d'antan et aux pédophiles contemporains…

Quoi qu'il en soit, pour l'immense majorité des hommes, une femme sera d'autant plus attirante sexuellement qu'elle sera féminine, c'est-à-dire que ses attributs physiques de femelle seront bien développés, et que ses attitudes sociales valoriseront le mâle. Réciproquement, les femmes sont généralement plus attirées par des hommes qui les rassurent physiquement et psychologiquement que par des femmelettes tremblotantes.

Allons un peu dans le détail.

En plus d'être extrêmement plaisant à regarder, un visage doux et harmo-nieux allumé par un regard vif inspire confiance. On se dit que s'il est si beau, ce reflet de l'âme ne peut appartenir qu'à une personne naturellement bonne et noble. Y a-t-il seulement quelque chose au monde de plus inspirant qu'un beau visage de femme? (Un beau cul, peut-être…)

Des tétons généreux et bien accrochés indiqueront un bon potentiel d'allaitement. Un bassin pleine grandeur facilitera la mise au monde des rejetons et successeurs. Une peau radieuse sera la marque d'une bonne santé, due au moins autant au bagage génétique qu'au mode de vie. Des cheveux lustrés annonceront que pendant les deux ou trois dernières années, cette femme s'est alimentée convenablement, qu'elle a su éviter les matières toxiques et qu'elle n'a subi aucun traumatisme sérieux. Idem pour des ongles brillants.

Pour les fesses, le débat est loin d'être clos. Certains experts croient qu'un popotin proéminent sert à capter le regard mâle avant de l'attirer vers le sillon discret et protégé au fin fond duquel il doit déposer sa semence; d'autres font remarquer que la croupe est le meilleur endroit pour entreposer un surplus de graisse pour les jours maigres. Harponneur de yeux concupiscents ou garde-manger? Un peu des deux à la fois, peut-être?

Une chose est certaine : pour les dépôts de graisse superflue, une femme fessue sera toujours plus bandante qu'une femme ventrue. Qu'elles se le disent!

Les enquêtes confirment que le gars moyen se sent plus à l'aise avec une femme légèrement plus petite que lui. Ne crions pas : « Au machisme! » Comment, en effet, un homme pourrait-il se camper dans un rôle de leader, de protecteur et de pourvoyeur lorsqu'il n'arrive pas à transporter sa fiancée jusque dans leur chambre nuptiale lors de leur nuit de noces?

Les femmes, elles, seront inspirées par une tête volontaire, une figure symétrique et au dimorphisme élevé [i.e. aux formes très différentes du leur, ce qu'elles considèrent comme un visage masculin], des épaules plus larges que les hanches couronnant un tronc solide, le tout planté sur des jambes bien charpentées. Aujourd'hui, suite à l'arrivée du pétrole et de l'électricité, le regard intelligent et complice a en bonne partie remplacé les biceps rassurants.

Facteur très important : tous ces éléments doivent s'imbriquer dans un tout physiquement harmonieux et psychologiquement stable.

Dans leur grande majorité, les femmes qui ont le choix donneront leur cœur à un homme un peu plus grand qu'elles. Et si vous leur demandez dans le secret du confessionnal, elles vous avoueront que pour les phallus en érection, elles préfèrent les grosses pointures.

Finalement, le charme et l'intelligence constitueront les ferments essentiels qui lieront ensemble et orchestreront tous ces éléments; et cela vaut pour les deux sexes.

En définitive, de tout temps les gens ont voulu copuler avec de belles personnes pour la bonne raison qu'ils n'ont pas attendu que le moine autrichien Gregor Mendel codifie les règles de la génétique pour remarquer une évidence, à savoir que les beaux grands parents pétants de santé engendraient de beaux grands enfants pétants de santé plus souvent qu'à leur tour.

Si nous sommes sexuellement touchés par la beauté physique, le corollaire de cette règle commande que les putes doivent être belles pour nous attirer, surtout que cette attirance n'est pas gratuite : elle se paye en gros billets, i.e. en numéraires sonnants et trébuchants gagnés à la sueur de notre front.

La femme et la putain

Que les prostituées doivent être sexy pour gagner leur croûte est une vérité de La Palice. Que la beauté physique soit un élément indispensable du sex-appeal tombe sous le sens. Or, cela n'est pas une raison pour ne pas examiner de près comment il se fait que les putains nous apparaissent toujours comme débordantes de cette capacité d'attirance sexuelle.

Le sex-appeal est directement fonction des atouts sexuels et de leur mise en valeur. Voyons-les par ordre croissant de pouvoir de séduction, un ordre nécessairement arbitraire, mais sans doute capable de rallier une majorité de lecteurs.

J'ignore si quelqu'un a réussi à dater l'événement, mais un jour une femme particulièrement inventive a eu l'idée de peindre de rouge les ongles de ses extrémités, vraisemblablement pour amplifier la grâce naturelle de sa gestuelle. Pourquoi de rouge? Probablement parce que c'est la couleur la plus voyante qui soit. C'est également la couleur du sang, le liquide corporel qui transporte la vie. Ceux et celles qui ont eu la chance d'observer des babouines en chaleur auront été frappés par la teinte écarlate que prennent leurs vulves enflées pendant cette période.

Quoi qu'il en soit, cette heureuse initiative a donné naissance à une industrie florissante… et elle a sensiblement accru les sources de plaisir visuel de l'homme; c'est du moins ce que le pauvre naïf veut croire.

Du point de la femme, un nouvel outil de séduction venait de tomber dans son carquois déjà bien garni. Tout un chacun aura remarqué que le rouge des vingt ongles des prostituées est systématiquement criard : elles veulent être sûres d'accrocher notre regard.

Quand on s'arrête à y penser, y a-t-il une richesse qui soit plus inégalement répartie que le patrimoine génétique humain? Les yeux sont une magnifique illustration de cette criante injustice du Créateur : nous les recevons en héritage et il est impossible d'en changer la couleur ou de modifier leurs propriétés.

On dit que les yeux sont des fenêtres sur l'âme. Chez les Caucasiens, la palette des couleurs de ces vitraux est très large; et plus leur teinte est rare, plus leur pouvoir de séduction est grand. Je me souviens très bien m'être un jour retrouvé assis vis-à-vis un quatuor de filles ravissantes dans une petite cafétéria de Moscou. Jusque-là rien de remarquable tant les belles créatures pullulent dans cette mégalopole nordique. Ce qui m'empêchait de déguster mon bortsch dans la sérénité, c'était le trouble que généraient en moi les deux émeraudes qui illuminaient le beau visage faussement innocent de la plus jeune.

Au risque de me faire sèchement prier de regarder ailleurs, je n'arrivais tout simplement pas à déclouer mon regard de ces yeux-là. Ils me médusaient. Après coup, je me suis facilement convaincu que la fille n'avait pas interrompu ma séance de contemplation parce qu'elle retirait un certain plaisir à mesurer la capacité d'hypnotisme de ses prunelles. Cette teinte de pierre précieuse lui permettait de ressortir parmi une véritable mer de beaux yeux de tous les dégradés de bleu.

Lotie de telles mirettes, cette Moscovite n'avait aucun besoin de surligner ses cils à coups bien visés de brosse de mascara. Celles qui n'ont pas sa chance auront vite appris à battre des paupières et à jouer des sourcils pour animer au mieux les cadres de leurs fenêtres jumelles.

Tout comme la plupart des hommes, j'ai mis des années à comprendre que peu de femmes osaient mettre le nez dehors sans un minimum de maquillage des yeux. Les démones apprennent à montrer ce qu'elles veulent bien que nous voyions – y compris leurs états d'âme – beaucoup plus rapidement que nous apprenons à pénétrer leurs subterfuges. Ce que nous percevrons comme un regard profondément mélancolique ne sera souvent que l'aboutissement d'un savant habillage des yeux. Mais comment pourrait-il en être autrement, dans un jeu où les rôles de chasseur et de proie sont constamment permutés?

Une putain à lunettes ou dont le pourtour des yeux ne dégouline pas de mascara, c'est un événement aussi rare qu'une hôtesse de l'air en bikini – quoique les hôtesses de l'air en bikini, ça arrive… en Europe de l'Est ou en Asie, quand une petite compagnie aérienne veut mousser ses ventes de sièges en faisant parler d'elle. Précisons donc : aussi rare qu'une hôtesse de l'air en bikini d'Air Canada.

En stricts termes de fonctionnalité biologique, les cheveux ne servent à rien. Parce que la chevelure est constituée de cellules mortes depuis longtemps, sa longueur n'aura aucune incidence sur la santé. Pourtant, à part quelques originales à la recherche de singularisme, les femmes – et de plus en plus d'hommes quand elle n'est pas complètement tombée – prennent un soin jaloux de leur crinière.

Le fait que les rues européennes foisonnent de jeunes gens au crâne intégralement rasé ne trompe personne : ces gars tentent de donner le change en achevant une calvitie précoce. Comment expliquer ce phénomène? Mystère! Heureusement pour ces jeunes gens à vieilles têtes, les jeunes Européennes ne semblent pas se formaliser de cette absence de panache masculin. Comment expliquer cette apparente mansuétude? Autre mystère!

Lorsqu'il est naturellement resplendissant, ce panache est pavané tel un trophée. Dans le cas contraire, il servira de support à une gamme indéfinie de longueurs, de coupes et de teintes artificielles qui viseront à l'harmoniser avec les formes du visage, la couleur des prunelles, le port général, et même la carrière et les orientations sexuelles. Quelques exemples.

Imagine-t-on une femme soldat ou une pompière ayant des cheveux qui lui descendent jusqu'aux fesses? Idem pour une femme d'affaires ambitieuse ou une ministre montante – que cette dernière doive son poste aux règles bizarroïdes de la parité ou non. Dans le monde des couples de lesbiennes, rien de plus facile que de déduire laquelle des deux filles joue le rôle de l'homme : elle portera les cheveux encore plus courts que la «femme».

Ici encore, une gigantesque industrie du shampoing s'est développée qui a compris que les gens – au premier chef les femmes – étaient prêts à dépenser des fortunes pour que leur chevelure projette l'image inspirante et sexy de la santé. Normal, quand on songe que si une femme peut choisir de dissimuler ou de mettre de l'avant la plupart de ses atouts corporels, elle devra tôt ou tard soumettre sa crinière à l'appréciation de la galerie.

Elles ne l'admettront pas serait-ce sous la torture, mais les Asiatiques et les Africaines verdissent d'envie en voyant les panaches des Européennes du Nord. Parfaitement normal : une Chinoise ou une Somalienne comprend instinctivement que dans la perpétuelle course pour attraper les regards mâles, une tête de vraie blonde lettonne ou tchèque, par exemple, occupera toujours le haut du podium. Dans une foule, la tête claire tranche; c'est elle et elle seule qui réfléchit la lumière vers notre œil. Cette luminosité naturelle lui fait une aura de grâce juvénile et de touchante vulnérabilité, une aura d'enfant.

À ce propos, y a-t-il une seule strophe de poème ou de chanson qui parle d'enfant aux cheveux bruns, roux ou noirs? C'est parce que le blond est associé à la lumière et à la jeunesse que cette couleur est si populaire auprès des femmes qui veulent camoufler leurs cheveux blancs naissants, lesquels annoncent l'arrivée prochaine et inéluctable de la vieillesse.

Au grand écran, Marilyn Monroe serait-elle devenue une icône sexuelle intemporelle sans l'apport d'une coloration platine tout droit sortie d'une bouteille de verre? Dans les temples modernes que représentent les scènes de spectacle géantes, une prêtresse comme Madonna pourrait-elle faire vibrer autant de cordes sexuelles chez ses millions de disciples de tous les âges si sa tiare mouvante était aussi noire – sa couleur naturelle si l'on en croit ses sombres sourcils méditerranéens, cadeaux de ses aïeuls italo-franco-américains – que sa touffe, les deux forcément émaillées de cheveux et de poils blancs depuis des années?

Dans les pays où il est rare, le cheveu blond a la cote chez les clients des prostituées. Je me suis déjà laissé dire – sans jamais pouvoir le vérifier – que les cités-États du Golfe abritaient des milliers de filles de joie ukrainiennes, moldaves et biélorusses qui y accumuleraient de jolis pécules. Rien de surprenant à cela lorsqu'on imagine la tête ébahie et subjuguée du rentier arabe du pétrole – polygame ou pas – découvrant sa première chatte blonde. À moins de s'enfouir la tête jusqu'au cou dans une vaine tentative d'interprétation définitive de quelques versets sibyllins du Coran, notre héritier de l'or noir est irrémédiablement perdu : la vraie blonde lui videra tranquillement les goussets.

Que les économistes se réjouissent : grâce à ce commerce singulier, une partie – malheureusement infime – des pétrodollars retournent vers le Nord via les services à commission de la Western Union et d'autres. Ce qui nous rappelle que les flux financiers peuvent parfois emprunter des canaux originaux.

Pour revenir aux caractéristiques raciales, le cheveu caucasien, plus fin, semble se prêter mieux à toutes sortes de manipulations : frisages, mises en plis, coupes créatives, brushing, etc. D'un caractère rebelle, il doit souvent être sévèrement bridé. Le cheveu asiatique, plus gros et plus lourd, tombe naturellement bien sur les épaules. S'il se laisse moins facilement dénaturer, en revanche son entretien est plus facile : il suffit de tailler à intervalles réguliers. Une Chinoise ou une Cambodgienne en bigoudis, ça n'existe pas.

Les plus mal nanties au chapitre des toisons sont sans conteste les Négresses. Le cheveu crépu n'inspire naturellement qu'une coupe : l'afro. Tout autre style né- cessitera de fastidieuses séances de re- passage pour le défriser temporairement. Chassez le naturel, il revient au galop : la repousse sera donc toujours crépue. Rien d'autre à faire, donc, que de vivre avec… en compensant par un déhanché accroche l'œil et un port de reine qui mettra leur remarquable fessier en évidence, un art que les Africaines – courtisanes ou pas –

maîtrisent comme peu d'autres créatures humaines.

Chez les travailleuses du sexe occidentales, les observateurs intéressés ont remarqué que celles qui offrent des services de dominatrice à fouet ou à cravache ont l'habitude, soit de remonter très haut leur chevelure pour se donner plus d'ascendant physique, soit de la dissimuler sous une casquette de fliquette style nazi pour mieux se camper dans leur rôle de bourreau perverse. Les autres, les plus conventionnelles, utilisent leurs cheveux de la même manière double que toutes les autres femmes : cadre du visage remodelable à l'infini et panache plus ou moins dissocié du reste du corps.

Comme toutes les femmes pour qui l'apparence physique est primordiale, les putes en fin de carrière – laquelle correspond au début de la quarantaine – n'hésitent pas une seconde à recourir à la coloration artificielle pour maintenir leur chiffre d'affaires. On aura deviné que cette coloration est impérativement le noir dans le cas des prostituées asiatiques et africaines. Chez ces dernières, une tête faussement blonde ferait rire et, ce qui est plus grave, risquerait de faire débander.

Autant les Caucasiennes sont avantagées par un large éventail de couleurs d'yeux et de cheveux, autant elles traînent loin derrière les Africaines et les Asiatiques lorsqu'il s'agit de jouer de la bouche pour exhiber leur sex-appeal. Simple question de caractères raciaux, ces deux communautés sont génétiquement imparties de bouches pulpeuses – et cela vaut pour les trois sexes. Tellement que les rouges à lèvres sont très peu répandus sur leurs continents. Idem pour les injections de collagène ou d'acide hyaluronique. Mais notons tout de suite qu'en contrepartie, quelques filles et plusieurs Katoïs [lady-boys] thaïlandais n'hésitent pas à se faire gonfler les pyges avec du silicone.

Génétique et modes de l'heure, quand vous nous embrassez de vos tenailles puissantes et contradictoires…

La bouche, donc, est la principale ouverture sur l'intérieur du corps. Orifice dédié au boire et au manger ainsi qu'instrument de livraison finale de la parole – dite ou chantée –, consciemment ou pas on le voit comme un marqueur fidèle de la sensualité générale. Qui donc, femme ou homme, entretient le fantasme de la rencontre providentielle avec un partenaire aux lèvres minces et sévères? [Cliché ou pléonasme?]

Des lèvres pleines, charnues, inspirent le baiser à pleine bouche. Ne nous le cachons pas, aucune actrice ne peut aspirer au statut très envié de sex-symbol si elle n'est pas munie de babines aux dimensions de ses ambitions. Cette implacable loi vaut également pour leurs confrères, quoique dans une moindre mesure. Le drame de tous ces pauvres gens, c'est que la peau se ride et la bouche s'amincit inéluctablement avec l'âge; d'où le recours soupçonné aux injections périodiques du fameux *Botox* ou de ses imitations.

Krishna, le musicien jouisseur et tombeur de demoiselles de la mythologie hindoue, n'est-il pas toujours dessiné avec une bouche hyper sensuelle, tirant fort sur le féminin?

À part la chirurgie et les injections de produits antirides, un moyen qui est complètement entré dans les mœurs occidentales pour rendre une bouche plus pulpeuse est l'application de rouge à lèvres. Un barbouillage adroit arrondira les formes et doublera facilement le volume apparent du vestibule de n'importe quelle gueule.

Preuve que le tube de rouge est devenu indispensable, c'est qu'on ne peut imaginer un sac à main qui n'en recèle pas quelques-uns de différents coloris, tels autant de cartouches d'un fusil intangible, mais bien réel, que sa propriétaire n'hésitera pas à armer en cas de besoin. En fait, le rafraîchissement du rouge est tellement banal que plusieurs femmes ne se gênent plus pour effectuer cette opération au su et à la vue de tous.

Pour ce qui est de mes amies les filles de joie, tous conviendront que si j'étais leur fournisseur exclusif de rouges à lèvres, il y a belle lurette que ma fortune serait faite... et ce livre serait distribué gratuitement dans toutes les boîtes aux lettres assez accueillantes pour le recevoir.

La voix. La chose peut paraître surprenante à certains, mais j'estime que le degré de sex-appeal varie énormément d'une voix à l'autre. Éliminons tout de suite les deux extrêmes que sont le bourdon ronflant du baryton hommasse et les cris hyper aigus, agaçants à en faire grincer des dents, émis par la mégère frustrée.

À mon sens, une voix féminine sexy sera juste assez basse pour être reposante, conférera un heureux mélange d'assurance et de vulnérabilité, chantera un intérêt sincère pour votre petite personne et, surtout, modulera en filigrane la promesse d'une merveilleuse découverte pour celui qui aura la curiosité et le courage de remonter jusqu'à sa source.

La péripatéticienne expérimentée sait fort bien que le ton de sa voix, tout en se devant d'être chaud et invitant, doit conserver un minimum de mystère. L'explicite est bon pour les cabinets de médecin, pas pour les alcôves impromptues. La proposition coquine qu'elle soufflera à l'oreille d'un client potentiel relèvera plus du voile entrouvert que de l'étalage en vitrine. L'imagination de l'homme en rut fera le reste.

Certaines voix de femme ont un pouvoir d'évocation redoutable. Un copain à moi a intimement connu une véritable peau de vache – voleuse et menteuse, superbe grande femme malheureusement tarée de jalousie pathologique – qui arrivait facilement à générer des titillements dans ses bourses rien que par le timbre langoureux de sa voix. Pour le ramener vers sa couche après une crise de possession particulièrement hideuse, ce «beau cheval de femme», comme dirait mon ami français Roland, faisait allusion à leurs séances de sexe *kinky*, et la promesse d'un renouvellement de leurs plaisirs inégalés flottait sur les modulations veloutées produites par ses cordes vocales.

En l'entendant susurrer ses bonnes résolutions pour l'avenir de leur relation, sa mémoire visuelle voyait plutôt défiler les images d'un gros cul ferme et généreux s'invitant à diverses variantes de la fessée érotique, sa mémoire tactile retrouvait ses chairs pleines qui palpitaient sous ses caresses vigoureuses, et sa mémoire auditive rejouait la musique ineffable de la fine baguette de merisier qui s'abattait en sifflant sur ses deux fesses blanches pour leur réimprimer le souvenir écarlate de son passage quasi quotidien.

Quand Peau-de-Vache murmurait sur le ton de la confidence complice : « *You know how much I like counting all the way to one hundred…* », sa voix à peine audible ramenait mon copain dans sa chambre, elle étendue sur le ventre, ses yeux rivés sur son pénis et ses jambes repliées pour offrir ses pieds aux frappes, lui debout au bord de son lit, se masturbant de la main gauche – rien n'excitait plus madame que ce spectacle – et frappant ses talons nus de la baguette magique pendant qu'elle comptait les coups. Il raconte qu'arrivée au chiffre cent, une voix pressée et chevrotant de plaisir anticipé le suppliait : « *Please fuck me at once! Now!... I'm ready!* »

Or, une voix débordante de volupté n'annonce pas nécessairement une femme à l'avenant. Au cours de ma cahoteuse carrière, j'ai eu l'immense malheur de travailler pendant une année entière avec une grosse torche à qui la Nature avait fait don d'une voix à faire bander un opéré de la prostate – ce qui prouve que Dame Nature est souvent trompeuse.

Pendant cette année de misère à côtoyer ce vil personnage dégoulinant de fausseté et de fourberie à peine camouflée, je me suis quand même amusé à lire sur leurs visages déconfis l'amère déception d'amis qui, attirés par la voix chargée de promesses de celle qui répondait à mon téléphone, usaient des prétextes les plus farfelus pour me rendre visite et apercevoir enfin la source de ces roucoulades. Ce que les pauvres ont trouvé, eux qui cherchaient une source de renouvellement de leurs fantasmes, c'est une énorme caverne stérile. Je m'en bidonne encore…

Est-ce le sucre raffiné, la malbouffe, la paresse, la télévision, la sédentarité, la prospérité économique, les effets secondaires des indispensables calmants, ou encore le vieillissement quasi général des populations occidentales?, il me semble que les femmes sont de plus en plus grosses. Et qui dit grosse dit pansue. Si nous ne parlions que de mignons bedons qui peuvent ajouter du relief à un abdomen, il n'y aurait pas de quoi se plaindre. Hélas, quand on côtoie ces masses de chair qui semblent prêtes à nous péter dans la face au moindre choc, l'œil autant que l'esprit s'en trouvent terrorisés.

J'ai grandi avec l'expression «petite vieille», laquelle n'avait rien de péjoratif. Sur ces vieux jours, ma mère – laquelle m'a maintes fois raconté avoir d'abord été séduite par la voix généreuse et rassurante de mon futur père – était devenue une charmante petite vieille. Rien de honteux là-dedans! Aujourd'hui, on est forcé de parler de «grosses vieilles». En plus de mal sonner à l'oreille, l'expression augure drôlement mal pour nos vieux jours à nous.

Mon ami Gaston, un gars qui a vécu infiniment plus d'aventures que moi avec les prostituées de la Terre, me dit que lorsqu'une travailleuse du sexe ne précise pas ses mensurations et/ou qu'elle annonce des fellations propres à faire grimper un gars au 8e ciel, il faut se méfier. Cette promesse cache probablement une grosse ventrue – décidément, ces pléonasmes! – dont le seul orifice sexuel évident est la bouche; la *plotta* et la pastille sont profondément enfouis sous des couches et des couches de lard irrécupérable.

Jusqu'à tout récemment, on pouvait corréler le gros ventre avec l'âge. Malheureusement, cela est de moins en moins vrai : les gens deviennent gros avant de devenir vieux, y compris les putes.

La solution adoptée par Gaston? Viser jeune – ce qui rime avec cher – et aller loin, dans des contrées où les femmes ont le ventre moins plein (Cuba, Pérou, République Dominicaine,…), ou encore là où les gens naissent plus menus. Si on prend l'exemple des pays de l'Indochine, on aura beau dire que l'obésité et le diabète commencent à y faire des ravages, rien n'empêche que le paysage humain y est encore drôlement agréable à admirer. Tandis que chez nous…

Sur le continent asiatique en général, les explosions démographiques – avec les exceptions notoires du Japon et de la Chine – font qu'en plus d'être plus petites, les femmes sont en moyenne plus jeunes. Pur ravissement pour l'œil mâle… et horreur plus vexations pour la touriste européenne qui aurait momentanément confié son affreux caniche à un chenil spécialisé pour aller se perdre – entendre «passer parfaitement inaperçue» – dans ces mers de belles jeunes femmes serviables aux yeux joliment bridés et à la peau de soie.

Du calme, les rêveurs! Ne vous emballez pas trop vite : ces jeunes beautés sont normalement fidèles épouses et mères attentionnées avant la vingtaine. Celles qui sont libres se présentent avec un ou deux bébés super mignons sous le bras et elles transportent leur famille étendue dans leurs bagages. Pour la communication en profondeur, aucun problème : elles baragouinent toutes couramment un charabia de *basic English*.

Une fleur de bitume non jugée sur des talons échasses, ça n'existe tout simplement pas! En plus de lui remonter le postérieur et de lui rallonger les cannes, les talons hauts grandissent la femme et, surtout, lui permettent un déhanchement amplifié dans la démarche. Ce déhanchement de féline, il donne une vie propre au bassin et au cul; le sensualiste attentif est témoin du spectacle fantastique d'un duo de fesses haut perchées qui se frottent l'une comme l'autre comme si elles voulaient allumer un incendie par la seule grâce de leur friction cutanée. Bien des adolescents mâles mettent trop de temps à le comprendre, c'est à notre cœur et à notre libido que ces pyges espiègles s'activent à mettre le feu.

Ce même sensualiste aguerri devine facilement que ces roulements de bassin, qui sont à la base de la plupart des danses sociales sud-américaines, ils sont capables de baratter des nectars odorants originaux : un peu comme les grands parfumeurs français, il n'y a pas deux femmes, putes ou pas, qui en produisent de parfaitement identiques.

Si les femmes se donnent tant de mal pour affiner leurs jambes – jusqu'à s'en abîmer trop souvent des orteils –, c'est qu'elles savent fort bien que des chevilles fines correspondent à l'animalité qui dort en elles. En effet, a-t-on déjà vu une gazelle, une biche, un guépard, ou encore un chat aux pattes épaisses? La gazelle doit pouvoir courir vite si elle veut échapper au prédateur; la femme doit pouvoir le faire courir vite et loin si elle veut attraper l'homme qui se prend pour un prédateur. Pour cela, très peu d'attributs valent une paire de jambes aux galbes parfaits.

Il existe une catégorie d'hommes qui ont le malheur d'être particulièrement vulnérables à l'apparition d'une belle paire de jambes : ce sont les *legmen*. Quand ils aperçoivent un tandem de superbes cannes qui, se frayant un chemin à travers la cohue des boulevards aussi facilement que des ciseaux aiguisés découpent des cercles nets dans une feuille de papier rectangulaire, un tandem qui court vers un destin dont ils sont exclus, les pauvres reçoivent une sorte de décharge électrique qui leur réduit l'âme en cendre.

S'il ne se lance pas immédiatement à la poursuite – le plus souvent futile – de ces deux membres aux galbes symétriques et effilés qui ont pour vocation originelle d'annoncer puis de promener un cul de femme dans la société des hommes, le *legman* passera un long moment, transi d'impuissance, à rêvasser des bonheurs divins que la foule, en se refermant sur ces pattes sublimes, lui a interdits. Difficile de ne pas se demander qui chasse qui!

Mon bon ami Gaston, un gars qui prétend en avoir vu plusieurs centaines, affirme qu'il n'existe pas sur cette planète deux paires de miches exactement semblables. Quoique mon propre échantillon se compte plutôt en dizaines, je corrobore d'emblée. Que faire, alors?

Ou bien on en marie une à notre goût et on passe un demi-siècle à en explorer les contours et à en savourer les émanations, ou bien on se paye une pute de temps en temps pour varier quelque peu le menu du pygeophile qui sommeille en nous.

Le principal problème avec la solution du choix exclusif et définitif, c'est que les fesses, de la même manière que tous les autres muscles du corps, s'émacient et perdent de leur tonus avec le temps qui passe. Regardez autour de vous : peu de femmes passées la cinquantaine promènent un fessier encore capable de causer des bouchons de circulation sur l'Avenida Atlântica de Copacabana. Tout comme le visage et le cerveau, les pyges vieillissent, la plupart plutôt mal.

Autre difficulté : les goûts changent, ils évoluent. Je connais un gars tout ce qu'il y a de plus correct qui, plusieurs années après avoir épousé une Portugaise au large croupion, s'est tout à coup découvert un appétit irrésistible pour les petits culs genre androgyne. Mais sa femme étant maladivement jalouse, il n'a pas réussi à satisfaire cette faim en parallèle de sa vie de famille. Résultat, que j'estime malheureux : il est en train de divorcer pour pouvoir épouser une poupée coréenne.

L'une des nombreuses beautés de la prostitution, c'est que le client peut jouir d'une quantité de paires de fesses qui n'est limitée que par l'épaisseur de son portefeuille. Idem, d'ailleurs, pour les innombrables charmes féminins. Et cet accès n'implique aucune compétition. Le client d'une putain donnée n'a pas besoin de lui faire une cour plus convaincante que les autres clients : il n'a qu'à attendre son tour.

Combien de mariages furent sauvés d'un naufrage prévu parce que le mari avait pu satisfaire ses fantasmes particuliers en marge de sa vie de couple, sans qu'il ait eu besoin de remettre cette dernière en question?

Quel que soit le gabarit de ses fesses, la prostituée le moindrement éveillée les mettra en valeur pour faire saliver le client potentiel. Depuis sa sortie de l'enfance, elle a remarqué qu'avec ses seins, son popotin avait le pouvoir singulier d'engluer les regards masculins. Elle a décidé d'exploiter cette ressource naturelle au maximum avant qu'elle ne s'étiole aussi inéluctablement qu'elle s'est épanouie. Qui oserait l'en blâmer?

Ce n'est pas toutes les cultures qui prêtent aux seins une charge érotique. En Afrique noire, le sein sert à l'allaitement du nourrisson, un point c'est tout. Qu'un adulte s'y agrippe encore pour téter à sec est vu telle une autre de ces aberrations sexuelles apportées par les colonisateurs blancs; quasiment au même titre que la banalisation de l'homosexualité.

Chose qui m'a toujours un peu surpris, dans les pays d'Asie du Sud-Est, les mamelons des hommes sont l'objet de beaucoup d'attention de la part des femmes, y compris des petites putes.

Chez nous, on a élaboré toutes sortes de théories plus ou moins alambiquées pour tenter d'expliquer cette permanence de l'envie de saisir puis de sucer les tétons de la femme. L'une d'elles veut que l'homme reste sensuellement attaché au sein parce qu'il se souvient de son indispensable rôle nourricier. Fort bien, mais cela impliquerait que les Africains ont la mémoire plus courte que nous. Pas très convainquant!

On pourrait peut-être se demander si cette fascination pour la poitrine ne vient pas du fait que, règle générale, la femme des pays très développés économiquement la cache comme si c'était un trésor aussi fabuleux que secret. N'oublions pas que jusqu'à tout récemment, l'allaitement en public était considéré comme un acte indécent.

Je n'oublierai jamais la première fois que j'ai vu la chose. C'était dans un petit parc de Mérida, au Yucatan, au début des années soixante-dix. Une jeune mère donnait le sein à son poupon le plus naturellement du monde, un peu comme ma sœur donnait le biberon à ses poupées. Ma mère? Je n'ai jamais ne serait-ce qu'entrevu sa poitrine dénudée.

Un sentiment de honte et un autre de curiosité embarrassée se disputaient la plus grande place dans mon esprit plus ignare qu'innocent. Naturellement, je n'ai pas pu m'empêcher de regarder ce spectacle, jusqu'au moment où je me suis rendu compte que j'étais le seul à le faire. C'est à ce moment que la honte l'a emporté.

Pas la honte d'avoir apprécié une scène osée : celle, plus grave, de prendre conscience que je vivais dans une société qui bannissait de l'espace public un geste d'amour filial aussi essentiel que naturel. Quand je pense à ce moment marquant, j'en rougis encore. Plus tard, j'ai été témoin de moult campagnes de sensibilisation aux bienfaits de l'allaitement maternel. Gestes certes louables, mais admettons qu'il faut avoir été drôlement déconnectés pour s'être laissés convaincre par une industrie du lait de vache, appuyée par une pseudo science médicale, que le lait de la mère humaine n'était pas celui qui convenait le mieux au bébé humain. Au fou!

Ma maman – encore elle – m'a souvent raconté que c'était contre l'avis de son médecin de famille qu'elle avait allaité toute sa progéniture (sept enfants). Son raisonnement de fille de cultivateur, raisonnement qui, dans mon royaume à moi, se retrouverait gravé dans le granit d'un monument élevé au courage des mères du monde, lequel monument prendrait la place de l'une des innombrables croix qui déparent la moindre colline : « La chatte allaite ses chatons, la jument allaite son poulain, la truie allaite ses porcins, la chienne allaite ses chiots, la chèvre allaite ses chevreaux… En conséquence, la femme devrait allaiter son bébé. Et si vous n'avez pas compris cette évidence, messieurs les docteurs aux voix mielleuses, c'est que vous n'avez pas étudié à la meilleure des universités : l'Université de la Vie. »

Et vlan dans les gencives!

Quoi qu'en soient les raisons, en Occident le sein de la femme est très érotisé. On dit qu'en Amérique – une terre d'abondance où les femmes fortes ont beaucoup de pouvoir –, on les aime volumineux. En Europe, on les aimerait plutôt de dimensions raisonnables, mais bien dessinés. La putain n'a donc pas le choix : elle doit mettre ses nichons le plus en valeur possible si elle veut attirer le client. Pour ce faire, comme toutes les femmes elle dispose d'un très large éventail de soutien-gorge et autres supports plus ou moins trompeurs.

Très peu d'hommes en sont pleine-ment conscients, mais il existe de ces brassières capables de multiplier par deux ou par trois le volume perçu d'une paire de nénés. D'autres donneront à une gorge depuis longtemps flasque l'ap-parence trompeuse de deux tétons de jouvencelle à peine éclos. D'autres encore aligneront en parallèle le tir de seins qui, laissés à eux-mêmes, viseraient dans des directions divergentes.

Bon nombre de femmes ont des mamelles de grandeurs différentes; pourtant, qui a déjà vu un soutien-gorge aux bonnets dépareillés? Rien de mieux qu'un soutien-gorge bandeau pour dégager les épaules, tandis qu'un modèle pigeonnant avantagera le décolleté. Certains de ces atours possèdent la singulière faculté de laisser deviner le mamelon qui couronne le sein.

Parce qu'ils ont la double faculté de remonter les seins tout en les gonflant, les soutiens genre push-up, d'abord commercialisées par la marque Wonderbra, sont fort probablement les préférés des femmes de mauvaise vie.

Je n'ai jamais testé, mais on imagine que les bonnes sœurs de toutes les religions anti-sexe portent des brassières spéciales qui ont pour fonction d'aplatir leurs glandes mammaires, question de parachever leur désexualisation.

Les travailleuses du sexe, des femmes qui doivent impérativement exacerber leur féminité apparente, ne manquent donc pas de lignes pour y attacher leurs hameçons.

Certaines gens ne sont jamais vraiment sorties de leur phase anale; d'autres y reviennent à un moment donné de leur vie adulte. Conséquence obligée pour la prostituée : elle doit gérer cette demande potentielle en tenant compte de ses propres goûts et, surtout, de ce qu'elle a à offrir sous ce rapport. Les amateurs vous le diront, certains anus de femmes sont tellement bien formés qu'ils commandent l'admiration, voire la dévotion. Une dévotion qui prend le plus souvent la forme de baisers mouillés et de lichettes goulues.

Quand le client accepte d'en rester là, pas de problème. C'est lorsqu'il insiste pour accomplir une sodomie intégrale que la gestion de ce type de rapports devient délicate. Deux éléments majeurs doivent être pris en considération : les mensurations de son pieu et l'élasticité relative du terreau dans lequel son propriétaire veut l'enfoncer.

Étant donné que ces pratiques ne sont pas tout à fait conventionnelles, la professionnelle qui sait y faire – et qui est anatomiquement équipée pour recevoir monsieur – pourra facilement doubler ses émoluments. Ici, les femmes expérimentées conseillent la plus grande prudence aux néophytes : s'il peut de temps en temps palpiter d'excitation, ce petit orifice élastique n'est pas fait pour recevoir de la visite dix fois par jour.

Ce qui nous amène à une petite grotte qui, elle, semble pouvoir accueillir plusieurs visiteurs dans une même soirée… à condition que ces derniers acceptent d'attendre sagement leur tour au vestiaire. Prendre un numéro et patienter qu'on vous appelle… ou composer un numéro de téléphone avant de passer.

Véritable merveille de l'évolution, le vagin de la femme est un réceptacle capable de s'adapter aux formes et aux gabarits des vits qui ont l'insigne honneur de lui rendre visite. À tel point que dans l'immense majorité des coïts, l'homme a cette agréable sensation que le truc de sa partenaire est fait sur mesure pour que son machin à lui s'y imbrique parfaitement.

Quand cet homme est amoureux, il se convainc facilement que ce sexe de femme – chaud, englobant et à la texture de velours humide – l'attendait; qu'il n'attendait que lui.

Quand cet homme est le client d'une péripatéticienne, il faudrait qu'il soit drôlement naïf pour se convaincre de ça, mais ce n'est pas une raison pour que la pute qui le reçoit pendant une petite heure à un tarif convenu le fasse par exprès pour lui rappeler méchamment qu'il passe entre deux autres *Johns*.

Du moins en Occident, la plupart des tenues féminines contemporaines laissent deviner la dimension des seins et le type, sinon les formes précises, du popotin. Lorsqu'une femme se dévêt enfin pour offrir à son homme le spectacle unique de ses atouts sexuels, les surprises réelles sont rares : décolletés plongeants et pantalons collants avaient comme qui dirait annoncé la marchandise. Or il reste un mystère, un secret bien gardé qui ne sera dévoilé que lorsque les amants auront atteint un degré élevé de confiance mutuelle et d'intimité : c'est la forme et les caractéristiques de la vulve.

Et en plus de ne se laisser deviner à travers aucun vêtement, ce trésor ultime de la femme est gardé par une féline au pelage plus ou moins fourni, plus ou moins sombre et plus ou moins frisé. Ça, c'est le naturel; les techniques modernes de teinte, de rasage et d'épilation ont donné à la femelle de l'homme – qu'elle soit épouse ou putain – la possibilité d'exercer sa créativité pour réduire le domaine de sa chatte à une simple touffette ingénue coiffant le mont de Vénus.

D'après mon ami Gaston, tandis que les papillons de nuit asiatiques n'y touchent pas et que les putes africaines s'en accommodent, sauf exceptions les filles de joie caucasiennes réduisent leur minou à sa plus simple expression, cela quand elles n'offrent pas à notre regard ébahi une *plotta* et son écrin aussi pelés que ceux de jeunes jouvencelles. Rien de tel pour rajeunir son allure de façon spectaculaire!

De tous les fruits de la Nature, le sexe de la femme est sans conteste celui qui se présente sous la plus grande variété de formes, de parfums et de saveurs.

Ses abords sont annoncés et protégés par une paire de grandes lèvres, appelées ainsi parce qu'elles sont normalement – mais pas toujours – plus volumineuses que les petites lèvres qui, elles, ferment l'entrée du vagin. Quand les fins connaisseurs parlent de lèvres magnifiquement pendouillantes, c'est des petites lèvres qu'il s'agit, ces dernières ayant une envergure qui les oblige à déborder les grandes. Notons qu'il arrive que les membres de ce quatuor soient tellement timorés que la vulve ne s'ouvre que sur une étroite fente, comme celle d'un bébé. Parole de jardinier, il n'y a rien de plus touchant que la découverte de ce fruit rarissime chez une femme autrement mûre.

Tout en haut du sexe, les petites lèvres se rejoignent pour dissimuler ce que les anatomistes considèrent comme étant l'équivalent non épanoui de la verge de l'homme : le fameux clitoris, un organe aussi sensible que capricieux. Celui qui fait l'objet de recherches approfondies de la part des amants habiles se présente – quand il veut bien montrer le bout de son minuscule nez – sous une infinité de tailles. Je souhaite aux lecteurs de tomber un jour sur un clito presque aussi gros que leur petit doigt : éblouissement assuré.

Embusqué juste en dessous du clitoris, l'urètre n'attend qu'un signal de leur part pour arroser copieusement les amateurs de *golden showers*.

Pour une protection supplémentaire contre les visites prématurées ou inopportunes, la jeune fille est dotée d'un voile de chair plus ou moins résistant : l'hymen. Il va sans dire qu'à part quelques cas de miracles jamais encore attestés par le Vatican, toutes les courtisanes d'expérience ont perdu leur virginité… Les risques du métier.

Tout comme pour les autres produits de la Terre, c'est le riche mélange des composantes de chaque sexe féminin qui déterminera son parfum et sa saveur uniques.

L'homme qui ne veut ou ne peut réprimer sa curiosité pour la palette infinie des fruits charnels n'a pas le choix : ou bien il séduit la gent féminine à la vitesse grand V, ou bien il fréquente les prostituées.

Le corps et l'esprit

Des attributs sexuels attirants sont sans conteste essentiels à la fille qui veut devenir travailleuse du sexe, mais sa personnalité est également très importante, peut-être même plus importante.

La façon saine et pragmatique de considérer la prostituée est de la camper en genre d'infirmière, de praticienne qui aide son client-patient à se soigner d'une forme de mal d'amour – il en a trop, ou quelquefois pas assez, à donner. Et exactement comme dans le traitement de la plupart des afflictions, il lui faut accepter que les bienfaits de son intervention ne soient que passagers; jusqu'à la prochaine visite…

Quoique très variable d'un individu à un autre, le besoin de faire l'amour est quasi universel. (On estime que seulement un pour cent de la population n'a aucune libido.) Niez ces pulsions et vous fabriquerez des psychoses de toutes sortes, voire des névroses qui s'exprimeront par des comportements au mieux étranges, au pire criminels. Est-ce une simple coïncidence si la nation la plus grande productrice de matériel pornographique est également l'une de celles qui répriment le plus férocement le recours à la prostitution?

On peut se demander si le regard posé par le religieux ou par la religieuse sur les enfants qu'on leur a confiés serait aussi souvent trouble si ces gens n'étaient pas condamnés à la frustration sexuelle par leur vœu de chasteté? À l'autre extrémité du spectre, les viols seraient-ils aussi nombreux si les petits bordels sympas étaient aussi omniprésents que les grosses stations-service trop éclairées?

Du point de vue du sexe de moins en moins physiquement faible, on est en droit de se demander si les kilos superflus qui alourdissent et défigurent de plus en plus d'individus dans les pays riches prendraient autant de place dans le paysage humain, si les plaisirs sensuels offerts par lesdits pays ne se résumaient pas souvent à l'ingurgitation de nourriture trop sucrée.

Le cercle vicieux dans lequel nos gros mal-aimés des deux sexes se retrouvent enfermés est patent : plus ils mangent pour compenser le manque d'amour, plus ils risquent d'éloigner cet amour, et moins ils reçoivent d'amour, moins ils feront d'efforts pour contrôler ce qui finit par devenir un vice disgracieux.

À moins de se spécialiser dans une clientèle de très bas étage, les prostituées, elles, ne peuvent pas se permettre de se négliger ou de se laisser épaissir; cela ni physiquement ni mentalement.

À l'ère des soins de santé socialisés, les malades – qui contribuent à la caisse commune par leurs impôts – n'ont pas leur mot à dire sur le choix des nurses qui les soigneront. Les clients des prostituées, eux, parce qu'ils payent directement pour les services reçus, ont ce choix. Si la dame leur fait la tête, rien ni personne ne les empêche de se replonger le nez dans leur écran d'ordinateur ou dans les petites annonces des journaux populaires pour chercher mieux.

La pute qui engrange les gros billets à la pelle, c'est celle qui se montre agréable et attentionnée envers son client, qui lui manifeste un minimum d'empathie. Si elle possède deux onces de perspicacité, elle sait qu'elle a affaire à une sorte de perdant, à un gars qui en est réduit à payer en vulgaires numéraires pour profiter d'un plaisir intime que sa capacité de séduction devrait normalement lui apporter gratis sur un plat parfumé.

Dans la plupart des cas, le client de la pute est un *loser* sur le plan émotif. Alors que l'acte sexuel devrait consacrer la solidité d'un lien amoureux enrichissant, voilà notre homme réduit à acheter ce qu'une femme en amour offre gratuitement : l'accès total à ses charmes.

À cet égard, quel *John* régulier ne s'est jamais pris à rêver que la fille de joie lui offre des prestations gratos, pour une fois, rien que pour changer? Or la fille en question sait probablement d'instinct que si elle le faisait ne serait-ce qu'une seule fois, elle risquerait fort de se retrouver avec un amoureux transi sur les bras. Pas trop bon pour le business!

Tout comme pour les soins médicaux, la vraie professionnelle du sexe assortira finement sa mixture d'attention soutenue et d'écoute sincère de pincées de froideur polie qui contribueront à maintenir une certaine distance vis-à-vis son client. Après tout, ce n'est pas parce qu'un inconnu vous a tripoté les parties intimes à vous en user l'épiderme avant de vous enfiler avec la fougue d'un loup de mer rentrant d'un tour du monde en solitaire que vous êtes obligée de lui ouvrir votre cœur, n'est-ce pas?

De la même manière que ce n'est pas parce que Sylvie, la jolie garde-malade au regard de biche effarouchée, vous a encore réveillé à minuit pour vous examiner le kiki de près avec sa lampe de poche, que cela signifie qu'elle caresse des projets à long terme pour lui – votre kiki.

Contrairement à ce que délire un certain discours féministe, la pratique de la prostitution consiste en l'exploitation vénale de pulsions sexuelles masculines (non autrement abouties), exploitation commise généralement par une femme. Pas l'inverse!

Soit dit en passant, il faut être drôlement prisonnier de son idéologie pour se convaincre que dans le cas particulier du commerce de la chair, l'acheteur exploite tandis que la vendeuse – nous assumons ici qu'elle n'est nullement contrainte – est exploitée. Mais n'est-ce pas justement le rôle des idéologies que de remplacer la construction ardue de pensées étayées par la facilité des opinions toutes faites, des prêts-à-porter de l'esprit?

À suivre ces bonnes gens, le payeur, lequel verse cash et à l'avance un prix entendu mutuellement, prendrait avantage de la payée. La prochaine fois que ces ré-écriveuses du fonctionnement du commerce s'arrêteront chez Ti-Jos Laprise pour s'envoyer une poutine italienne dans le gorgoton, comptons qu'elles ne repartiront pas de la cabane à Ti-Jos sans lui demander pardon à genoux de l'avoir exploité, lui le pauvre poutinier – qui roule en Lexus l'été, et en modeste Honda Civic louée l'hiver… hivers qu'il passe immanquablement en République Dominicaine ou ailleurs dans les Îles du Sud.

Repentez-vous donc, autoflagellez-vous jusqu'au sang, vous, espèces de vilaines mangeuses de poutine affamées – rien de moins que des exploiteuses consommées, en somme!

Laprise et moi n'entendons vraiment que dalle à ce type de raisonnements tordus émanant du cerveau de mêlées articulées, des raisonnements tellement risibles qu'on en oublie de rire.

Dans l'échange de services de nature sexuelle contre de l'argent comptant qui met en relation la putain et son *John*, contrairement à certaines idées reçues c'est la putain qui tient le haut du pavé, cela même si ce n'est pas elle qui détient les cordons de la bourse.

La vieille tradition française est éloquente à cet égard : la dame entretenue, celle qui reçoit des sous en échange de sa disponibilité sexuelle, est appelée «maîtresse», la forme féminine de maître. Maîtresse de quoi? De la libido de son amant casquant, pardi!

Règle générale, le client est le demandeur; la travailleuse du sexe est l'offreuse. Ce que demande habituellement le client est prévisible : des préambules genre caresses du pénis et début de fellation, suivis d'une pénétration – normalement protégée.

La prestation offerte par la pute n'est pas aussi prévisible. Quoi que puissent avoir été ses promesses sous-entendues pour *close the deal*, elle a toujours le loisir de prétexter un malaise soudain ou un dégoût particulier pour s'esquiver. Par exemple, quoi répondre à une fille qui prétend n'offrir la fellation que sur double capote? Ou encore qui vous raconte qu'elle vient tout juste de se rendre compte qu'elle est indisposée, mais qu'elle sera heureuse de vous amener vite fait à l'extase libératrice en vous gratifiant d'une masturbation experte?

Les lecteurs le savent, ce n'est pas parce qu'un homme est en présence d'une femme nue et prête à se faire sauter que son membre viril se montrera automatiquement capable de relever le défi. Nous ne sommes pas des machines : une bandaison, c'est fragile. Ça s'entretient ; ça se cultive. Il suffit d'une remarque désobligeante ou d'un simple regard moqueur pour que la bite se renfrogne pour aller bouder dans le fond du pantalon.

Je me souviens très bien d'une visite ratée chez une jeune pute qui exerçait dans un motel presque trop discret du Centre du Québec. Enfin parvenu à sa cachette, la fille se révèle être visiblement dotée de fesses bellement généreuses qui semblent n'attendre qu'un signal pour s'échapper de son jean trop moulant. En répartie au compliment que je lui en fais avant même qu'elle ne se déshabille, la fille me lance sur un ton frisant le mépris : « T'es pas original, bonhomme, tous les clients me parlent de mon beau cul! »

J'ai tourné les talons et j'ai rejoint ma voiture sans me retourner, en remerciant mentalement cette garce d'avoir affiché son antipathie avant que je ne lui aie glissé deux beaux billets de cinquante dollars dans la main. Quant aux rondeurs anticipées de ses pyges, elles ont basculé dans les oubliettes de ma mémoire en compagnie des points de repère du parcours tortueux qui menait au motel. Les mauvaises manières, c'est mauvais pour le business; pour tous les business!

La pute futée, celle qui veut rembourser ses dettes d'étude ou libérer l'hypothèque de son condo en une petite année ou deux, profitera de son ascendant pour mettre son client à l'aise d'entrée de jeu. Un « Je m'appelle Sandra. Bienvenue chez moi et ne vous sentez surtout pas pressé : le plaisir, ça se déguste lentement » fera des merveilles. Ou encore « S'il y a des choses qui vous plaisent plus que d'autres, ne vous gênez surtout pas : je suis une fille très ouverte ».

Pour celles qui visent un généreux pourboire, rien de mieux que de se camper dans le rôle de la fausse ingénue. Un « J'arrive de l'Abitibi et je viens de commencer dans ce travail. J'espère que vous serez satisfait » ouvrira les bourses les mieux liées. Les plus habiles ajouteront d'un air candide : « Il ne faut pas hésiter à me montrer : vous me semblez un homme d'expérience… Je suis jeune et je veux apprendre. »

Une erreur que trop de péripatéticiennes commettent, c'est de se déshabiller aussi rapidement que si elles étaient en consultation chez le gynécologue. Elles devraient se souvenir que tous les hommes aiment les strip-teases. Les sensualistes comme mon ami Gaston, eux, tiennent à dévêtir eux-mêmes la fille, en prenant bien leur temps, jaugeant et palpant et reniflant et goûtant chaque atout de la belle au fur et à mesure de leur découverte.

Dans la plupart des alcôves des courtisanes contemporaines, un téléviseur projetant des clips pornos accompagnés de musique électronique primitive est aussi de rigueur qu'un éclairage flatteur des corps, entendre tellement sombre qu'une chatte n'y retrouverait pas ses petits. Difficile de faire mieux comme éteignoir de concupiscence, mais on dirait que ce cadre est définitivement entré dans les mœurs de plusieurs territoires.

Pour la musique d'accompagnement, je prendrais un abonnement à vie à la maison close dont le menu comporterait un choix judicieux d'airs de jazz langou reux et/ou de poèmes symphoniques de circonstance…

Le sens de l'humour, cette faculté intellectuelle qui permet de relever les ironies ou de jeter une lumière rieuse sur tout événement ou toute situation, on n'en parle même pas. C'est à croire que le sexe payé doive forcément être sérieux. Et pourtant…

Un vieil ami à moi – un gars par ailleurs vertueux et bon père de famille – a toujours clamé que le principal organe sexuel de notre espèce était le cerveau. Cette vérité, probablement la chose la plus censée qui soit jamais sortie de sa bouche, aurait grand besoin d'être disséminée auprès de plusieurs de nos sœurs les péripatéticiennes.

Les putes sont jeunes

Tout le monde l'aura remarqué, les prostituées sont habituellement jeunes. Et cette règle universelle n'a rien à voir avec une quelconque discrimination envers leurs aînées ou avec un conditionnement du client potentiel : elle est inscrite dans la nature. Explications.

Ici comme ailleurs, jusqu'à tout récemment à vingt-cinq ans la femme était mariée et elle avait enfanté à deux ou trois reprises. Celles qui ne s'étaient pas encore trouvé un époux à cet âge fatidique tombaient dans la honteuse catégorie des vieilles filles, juste bonnes à travailler comme secrétaire de notaire ou servante de curé. Les révolutions industrielles et électroniques ont changé tout ça en faisant exploser le secteur tertiaire dans l'économie, générateur d'emplois moins exigeants physiquement – mais pas psychiquement loin s'en faut.

Dans les pays post-industrialisés, rares sont les femmes qui ont le premier de leur 1,6 enfant avant la mi-vingtaine. Le fait que cela aille à l'encontre des desseins de la Nature – parce qu'une femme de vingt ans est plus forte et ses ovules sont plus jeunes, donc plus sains, – est complètement éclipsé par le discours politique dominant. Épanouissement de l'individu mâle et femelle avant tout; pour le reste, on verra plus tard… Si personne d'autre ne s'en occupe à notre place entre-temps…

Lorsqu'on parle d'explosion démographique dans certaines régions du Globe, on devrait préciser que dans ces endroits ce sont les jeunes qui se reproduisent, pas les vieux. En outre, plusieurs sociétés cautionnent allègrement la polygamie… chez ceux qui en ont les moyens financiers. Ajoutons à l'oumma de l'islam une bonne partie de l'Afrique noire et de l'Asie (où la polygamie est plus un état de fait qu'une institution formelle) ainsi que quelques autres endroits, et nous

nous retrouvons avec une grosse moitié de l'humanité.

Dans l'islam conquérant contemporain, le galop de la démographie a pris le relais de celui du destrier des débuts guerriers de cette religion, tandis que le prêche agressif et séditieux est à l'œuvre là où la force brutale du cimeterre ne convient plus.

Il est essentiel de se souvenir qu'en règle générale, le polygame va prendre une plus jeune comme 2e épouse, une plus jeune encore comme 3e, et ainsi de suite. En fait, il rajeunit les cadres tous les dix ans. La jeunesse! Toujours la jeunesse!

En Occident, il est difficile d'imaginer un accroissement rapide de la population dans des communautés où les jeunes femmes sont plus intéressées par des carrières bien rémunérées et épanouissantes, qui les doteront d'une grande maîtrise économique sur leurs destins individuels, que par la maternité naturellement à propos, c'est-à-dire dès l'atteinte de la maturité sexuelle.

Mais gommage politique ou pas, il n'en demeure pas moins que la jeunesse est plus sexy parce qu'elle est plus forte, plus porteuse d'avenir. Elle est également plus belle. C'est parce que la jeunesse est plus belle, plus ferme, plus harmonieuse, plus souple, plus vive… plus jeune que, de tout temps, c'est la femme jeune (et quelquefois le jeune homme) qui a servi de modèle à l'artiste qui voulait illustrer l'amour et sa conséquence directe : la pérennité d'une civilisation.

Ce n'est pas demain la veille – à moins de vouloir choquer ou faire bizarre – qu'un sculpteur va faire naître d'un bloc de marbre blanc un couple de vieux amants nus (et édentés pour faire bonne mesure). Personne n'aurait la franchise de le dire à voix haute, mais son œuvre serait proprement indécente. La vieillesse est certes éloquente, mais elle raconte le passé, pas l'avenir; et nous vivons dans une société carrément tournée vers l'avenir, une société qui se doit de glorifier la jeunesse. Certains vont jusqu'à prétendre qu'elle en est devenue gérontophobe.

Quand on s'arrête à y penser, la Nature est drôlement bien faite : elle veut bien être prolixe lorsqu'il s'agit de produire et de disséminer à tous vents les graines des plantes ou les spermatozoïdes des mammifères, mais elle n'encourage pas le gaspillage pour autant. C'est pour cette raison qu'en vieillissant, en cessant de pouvoir assurer la reproduction de l'espèce, la femme devient de moins en moins sexy. Sa peau se dessèche, sa source de vie se tarit faute d'ovules – le stock qui lui a été imparti à la naissance est épuisé –, et ses attributs sexuels s'affaissent à un point tel que sa silhouette perd progressivement de ses reliefs caractéristiques pour se rapprocher de celle de son compagnon de vie.

Le visage, surtout, se masculinise : les lèvres se renfrognent, pendant que le nez et les oreilles bouffissent. Les traits se durcissent et la peau des joues, tendant à se parcheminer, se voit progressivement colonisée par un disgracieux duvet; trop souvent, une moustache plus ou moins drue s'installe sans en demander la permission.

Les rires et les pleurs ont raviné les rides et ils ont creusé en profondes rigoles les délicates pattes d'oies qui ornaient naguère les yeux.

On suppose que les cordes vocales s'allongent, car il y a parfois jusqu'au registre de la voix qui glisse d'une octave ou deux vers le grave. Si la dame a beaucoup fumé, sa voix acquerra le timbre caractéristique de celle d'une matrone de bagne.

Ici, ajoutons que le pendant chez le mâle humain de ce phénomène d'économie des ressources est frappant quand on prend la peine de regarder autour de nous : en vieillissant, la silhouette et les traits de l'homme s'adoucissent. On jurerait que le mâle se féminise. Le grand V anguleux du torse de sa jeunesse s'effoire [s'écroule] lentement en U majuscule trop gras.

Et on ne parle pas de dérèglements physiologiques bizarres – souvent la conséquence de l'ingestion inconsidérée de médicaments pour ceci et pour cela – qui peuvent leur ratatiner le scrotum et leur faire pousser des nénés…

Pas très inspirant merci pour madame! D'autant plus que, comme tout le monde le sait, la Nature veut qu'avec l'avancement en âge la bonne grosse bandaison tenace devienne de plus en plus problématique. De son point de vue à elle, la Nature, à quoi diable servirait une érection?

Chez les deux sexes, la quarantaine marque le début de l'inéluctable blanchiment des cheveux et des poils. Les rares fois que les vieux se rassemblent en foules, ils forment une mer de têtes blanches.

Sur le plan prosaïquement commercial, malgré le vieillissement quasi général de la population consommatrice en Occident, qui donc courrait le risque d'investir ses économies dans une annonce télévisée de bonne bière belge qui mettrait en scène deux vieux croulants bedonnants aux faciès émaciés et aux membres perclus de rhumatisme? Pas moi!

L'image de la jeunesse, qui offre à la citadine sur le déclin physique un miroir déformant lui permettant de revenir en arrière en effaçant mentalement l'outrage des ans, cette image vend. Quand une vitrine lui présente la photo retouchée d'une fille de 16 ou 17 ans pour l'inciter à payer le prix fort pour une crème supposément avaleuse de cellulite, la femme de 50 ans aperçoit bien le visage juvénile du mannequin qui a l'âge de sa propre ado, mais elle refuse de s'arrêter à cette tromperie grossière : elle ne focalise que sur ses cuisses minces, lisses et soyeuses… comme les siennes l'étaient à cet âge aussi révolu que béni.

C'est très gros, mais ça marche à tout coup!

À moins qu'il ne soit une vedette de cinéma ou un chanteur rock à la mode, passé la quarantaine l'homme n'a pas accès aux jeunes femmes encore en fleur. Parmi elles, cet homme est comme l'Homme Invisible : il les distingue clairement, mais elles ne le voient pas. Leurs regards juvéniles le transpercent de part en part sans s'y attarder.

Très rares sont les mâles aux tempes grisonnantes qui vont oser faire la cour à une femme passablement plus jeune qu'eux. Leur pire crainte : le ridicule, lequel se lira tôt ou tard dans le regard des autres – voire dans celui de l'objet de leur attention. Si une relation semble s'engager, ils appréhenderont le moment des présentations aux copines et à la famille. Comment, surtout, réagira le père – le vrai père?

Ce qui nous amène à l'une des seules catégories qui offre un potentiel réel : les filles à la recherche de leur papa. Il y en a, mais elles sont rares. Toutefois, que les amateurs ne désespèrent pas : avec un peu de chance, c'est elles qui sauront vous trouver.

Un problème épineux, toutefois, risque de se poser. La femme jeune est normalement plus exigeante. Et avec une libido qui va en diminuant, le gars plus vieux peut très bien se retrouver à demander grâce en avouant d'un air piteux : « Pépé fatigué… » Injustice de la création : tandis que la femme, jeune ou vieille, peut toujours feindre, faire semblant, l'homme ne le peut pas. Son phallus – ce vieux complice des bonnes et mauvaises nuits – le trahit ignominieusement.

Au demeurant, dans nos sociétés qui offrent une multitude d'occasions de travail généreusement rémunéré, où les femmes deviennent rapidement indépendantes financièrement, qui a besoin de se placer sous l'aile protectrice d'un homme arrivé, habituellement plus âgé?

Socialement – j'ai eu l'immense bonheur de le vivre –, les têtes se retournent sur les couples dépareillés chronologiquement. Est-ce sa fille? Est-ce sa jeune secrétaire? Si elle est particulièrement bien foutue, est-ce une call-girl? Le regard du voisin est envieux s'il est seul, vaguement réprobateur si sa germaine le chaperonne.

Celui de la femme mûre est double : il lance vers la fille des flèches d'envie impuissante (la jeunesse constitue une concurrence terrible, déloyale); des dards de curiosité interrogative vers l'homme (le mec capable de harponner une jeunette doit certainement posséder des qualités rares... qu'il serait sans doute agréable de découvrir).

À mon sens, dans nos communautés totalement aseptisées par la rectitude politique, il est aujourd'hui plus facile de se faire élire à un poste public si vous êtes un homosexuel patenté que si votre compagne a la moitié de votre âge. Vous êtes moins louche.

Ajoutons que la réciproque est aussi vraie pour les femmes – celles qu'on appelle les couguars.

Pour l'homme mûr, l'idéal féminin consisterait en une partenaire de sa tranche d'âge, dotée d'un esprit adulte et vif, et campée dans un corps jeune. Impossible!

Ils jureront le contraire si leur douce moitié est présente, mais peu d'hommes ne seraient pas aux nues si, par magie, le corps de leur épouse rajeunissait de trente ans. Mon polygraphe attend les faux-culs qui oseront le nier.

Devant cette quadrature du cercle, une voie – Attention!, elle est illégale dans la majorité des pays – s'ouvre aux gars qui ont absolument besoin d'épancher leur soif de jeunes femmes de temps à autre : c'est la joyeuse virée chez les putes en fredonnant l'une des meilleures chansons de circonstance :

« Je m'en vais voir les p'tites femmes de Pigalle

Toutes les nuits, j'effeuille les fleurs du mal

Je mets mes mains partout, je suis comme un bambin

J'm'aperçois qu'en amour, je n'y connaissais rien... »

Les péripatéticiennes et l'argent

Dans les territoires des Tartuffes, parce que leurs activités sont illicites les travailleuses du sexe se font payer en argent comptant. Ce *modus operandi* de prime abord attrayant (aucun problème de recouvrement, pas de déclaration automatique au fisc, une certaine ivresse d'avoir toujours quelques dizaines de gros billets dans son sac à main) comporte toutefois plusieurs inconvénients.

Le premier, c'est que le cash attire la racaille et les filous comme le miel les mouches. Tandis que les commerçants honorables préfèrent se faire payer par carte bancaire pour éviter de rendre leur caisse attrayante pour les voleurs, les malfrats de toutes espèces ont une prédilection pour le numéraire : ce dernier ne laisse aucune trace comptable.

Même les avocats, qui représentent parmi les principaux pique-assiettes des prostituées, cultivent un goût marqué pour les billets de banque. (On se doute bien de la raison de cette salivation, mais nous éviterons ici de l'articuler clairement : une poursuite en diffamation est si vite lancée…)

Le proxénète ne s'engraisse que de comptant; idem pour le *pusher* de saloperies chimiques de toutes sortes. Ces créatures abjectes vont se coller aux fleurs de pavé telles des lamproies aux flancs des poissons pour en sucer la meilleure substance.

Cela dit – et on ne le répétera jamais assez –, si l'épée de Damoclès de la loi ne taraudait pas les courtisanes modernes d'une angoisse permanente, il est fort probable que ces dernières pourraient plus facilement tenir cette cohorte de sangsues à l'écart. Les lois moralisatrices et hypocrites amènent la répression judiciaire et la hantise de la police; elles-mêmes génèrent l'insécurité permanente qui induit l'angoisse; ces deux états invitent les services des souteneurs et des revendeurs de drogues de toutes sortes.

Perpétuellement huilée par des libidos jamais totalement assouvies – quand ce n'est pas par l'incommensurable misère sexuelle de l'humanité –, la roue de l'industrie de la prostitution tourne à son propre rythme… et le fruit en argent liquide du travail des filles est ponctionné de tous bords sans que les prétendues bonnes âmes ne s'en émeuvent le moins du monde. Elles dorment en paix, leur morale sexuelle à elles étant dûment homologuée dans les codes pénaux.

Deuxième inconvénient majeur de l'argent comptant : il est très facile à gaspiller, il brûle les doigts. Les consommateurs compulsifs voient les gros billets s'envoler de leurs portefeuilles comme les feuilles voyageuses des arbres les jours venteux d'automne. Difficile, dans ces conditions, d'engranger pour les jours maigres.

Parce qu'elle capte les regards, la liasse de grosses coupures aux couleurs exotiques attire les teignes et les emprunteurs de tout acabit. En effet, comment nier qu'on a des disponibilités financières lorsque le cash déborde de son soutien-gorge?

Enfin, le recyclage des sommes non déclarées à l'impôt est toujours problématique. Il y a bien les prête-noms – genre condo acheté par sa maman ou par une cousine fiable –, mais dans nos systèmes légaux le prête-nom est le seul propriétaire légitime de l'actif ainsi dissimulé. Qu'une chicane de famille éclate ou que la cousine conciliante ait un changement d'humeur majeur et le condo se retrouve vite fait avec de nouvelles serrures. (Adieu veau, vache, cochon pour notre amie la prostituée…)

Femmes officiellement démunies, nombre de belles-de-nuit profitent al-lègrement des programmes gouverne-mentaux de solidarité. Cela leur permet de recevoir un minimum d'aide juridique en cas d'arrestation par la police des moeurs, et de jouir d'avantages sociaux substantiels comme des prestations de survivance et un accès à des soins pour lesquels les autres citoyens doivent dé-bourser de leurs poches (examens de la vue et lunettes gratuites, par exemple).

Or, pour demeurer éligibles les bé-néficiaires doivent pouvoir afficher des comptes de banques vides et ne posséder aucun avoir facilement liquidable – cela exclut une modeste demeure et un vieux tacot.

On aura compris que ces conditions d'admissibilité compliquent infiniment le blanchiment des gains du sexe illicite.

Résultat : les putains des pays hypocrites sont souvent «encombrées» d'argent comptant qu'elles ne peuvent pas mettre à l'abri et faire fructifier en l'investissant dans l'économie légale. Ce qui est infiniment plus grave, c'est que ces sommes en liquide ne manqueront pas d'attiser la convoitise des vrais malfrats. Ces derniers s'amèneront avec leurs cortèges de violences de toutes sortes, violences qui serviront à justifier dans l'opinion publique la criminalisation de la prostitution...

Ainsi, un peu comme le chien qui se prouve qu'il existe en se mordant la queue, la boucle de l'absurdité bienpensante est bouclée, l'appareil judiciaire baigne dans l'huile, les flics et les fliquettes empilent les heures supplémentaires, les avocats enfilent les belles (voitures) allemandes, les mafieux se tapent bruyamment sur la bedaine, les féministes font semblant de s'indigner, les gars craintifs se soulagent dans l'onanisme voyeuriste, les épouses légitimes pestent contre le sport à la télé et le porno sur l'Internet… et les péripatéticiennes rêvent du jour lointain où la société de leurs frères et de leurs sœurs les verra pour ce qu'elles sont : rien de plus – mais rien de moins – que des marchandes d'amour.

FIN

Disponible aussi en version numérique

www.leseditionsdelinterdit.com

Distribution : Benjamin Livre
Infographie : Alejandro Natan
Achevé d'imprimer au Canada
en novembre 2013
Sous les presses de Copie Express

Gouvernement du Québec - Programme
de crédit d'impôt pour l'Édition de livres -
Gestion SODEC